HIPPOCRATE AUX ENFERS

Médecin spécialiste, Michel Cymes exerce dans un hôpital parisien. Animateur très populaire, il présente plusieurs émissions médicales sur France Télévisions (Magazine de la santé, Aventures de médecine, Les pouvoirs extraordinaires du corps humain, Enquête de santé).

Paru au Livre de Poche :

VIVEZ MIEUX ET PLUS LONGTEMPS
VOTRE CERVEAU

MICHEL CYMES

avec la collaboration de Laure de Chantal

Hippocrate aux enfers

Les médecins des camps de la mort

Édition mise à jour

STOCK

© Éditions Stock, 2015.
ISBN : 978-2-253-18574-1 – 1ʳᵉ publication LGF

Parmi les nombreux ouvrages sur le sujet, il y a deux livres sans lesquels je n'aurais pas pu écrire ce livre, *Croix gammée contre caducée. Les expériences humaines en Allemagne pendant la Deuxième Guerre mondiale*, de François Bayle (1950) et *Les Médecins de la mort*, de Philippe Aziz, publié sous la direction de Jean Dumont (1975). Je remercie également Xavier Bigard et Bruno Halioua pour leur science et leur aide.

À Glika
À Chaïm et Mendel
À mes enfants
À ceux qui ne sont plus

Science sans conscience
n'est que ruine de l'âme.
RABELAIS

Prologue

C'était là.

Je suis face à une bâtisse aux portes fermées, semblable aux autres bâtiments alentour.

C'est là que tant de cobayes humains ont subi les sévices de ceux qui étaient appelés « docteurs », des docteurs que mes deux grands-pères, disparus dans ce sinistre camp, ont peut-être croisés.

C'est là que le plus célèbre d'entre eux, Josef Mengele, observait avec avidité les jumeaux qu'il allait sacrifier. Puis autopsier.

Autopsier pour voir.

Pour essayer de trouver.

Pour essayer de comprendre.

Voir, trouver, comprendre… mais quoi ?

Je suis saisi, muet, pétrifié, devant ce lieu chargé d'horreurs.

Derrière ces murs, ces fenêtres fermées, ces portes closes, j'entends les cris, les pleurs.

Je devine les corps décharnés se tordant de douleur, suppliant, toutes les images atroces que l'histoire de cette période porte sur ses bras.

Je suis à Auschwitz-Birkenau.

Il s'agit d'un voyage de mémoire, un pèlerinage personnel que j'ai maintes fois repoussé.

Là, devant ce bâtiment, mon cœur de médecin ne comprend pas.

Comment peut-on vouloir épouser un métier dont le but ultime est de sauver des vies et donner la mort à ceux que l'on ne considère plus comme des êtres humains ?

Je sais que c'est une question naïve, simpliste, et je ne peux que la formuler. Je veux savoir.

Maintes fois, j'ai lu et relu ceux qui essaient d'expliquer l'inexplicable.

Mais là, sur les lieux du crime, je vois.

Plus d'analyses. Plus d'explications.

Juste l'effroi.

L'horreur par procuration.

Témoigner.

Un mot. Un sentiment. Une injonction qui me vient brutalement ce jour-là, en même temps qu'un sentiment d'indécence. De quoi témoignerais-je, moi qui n'ai rien vécu de tel. De quoi parlerais-je ?

De mon émotion ? De ma souffrance morale ?

Que représente-t-elle à côté de ceux qui étaient vraiment entre ces murs ?

Pourtant, à cause de mon métier, à cause de cette partie de ma famille que je n'ai pas connue, je sens une nécessité, un appel.

Des années après ce voyage, l'indécence ressentie s'est transformée.

À mon souvenir se sont ajoutés le négationnisme, le révisionnisme, l'« humorisme » nauséabond, toutes les petites phrases entendues, sibyllines, prononcées de façon anodine : « C'est pas bien ce qu'ils ont fait, mais ça a quand même fait avancer la médecine… »

Et si c'était vrai ? Impossible. Dans mon esprit cartésien scientifique, dans mon petit cerveau de médecin nourri à l'éthique, l'horreur n'aboutit pas à des avancées médicales.

Je me persuadais que de tels tortionnaires étaient tous de petits médecins, rejetés par leurs pairs, ridiculisés par la faculté et qui avaient trouvé, enfin, les moyens de prouver qu'on se trompait sur eux.

Ils allaient montrer aux universitaires qu'eux aussi, ces moins que rien, allaient pouvoir participer au projet fou du IIIe Reich.

Ils allaient trouver ce qui permettrait au peuple allemand d'être le peuple le plus « sain » de toute l'histoire de l'Humanité.

Pendant des années, j'ai voulu écrire ce livre.

Mettre mes préjugés à l'épreuve.

Montrer que tout cela n'avait servi à rien.

Que tout avait été inutile. Insupportablement inutile. Quand la nécessité est devenue trop pressante, quand j'ai entendu trop de voix dire, de plus en plus fort, que ces expériences avaient peut-être permis des avancées scientifiques, j'ai ressorti toute ma documentation et je me suis mis à écrire.

La réalité est pire que ce que j'imaginais.

Ils n'étaient pas tous fous, ces médecins de l'horreur, et pas tous incompétents.

Et les résultats de ces expériences qui ont été débattus, discutés par des experts lors du procès des médecins de Nuremberg ? Ont-ils servi ? Ont-ils été utilisés par les Alliés après la guerre ? Que sont devenus ceux qui ont été « exfiltrés » ?

Voilà ce que j'ai voulu raconter.

Je ne prétends pas être exhaustif. Je ne suis pas un historien.

Juste un médecin.

Un passeur de connaissances. Un vulgarisateur.

Et c'est à ce titre que j'ai voulu décrire ce qui s'est passé. D'autres l'ont fait avant moi, différemment, mieux, mais je crois qu'en ce domaine il n'y aura jamais trop de bonnes volontés.

C'est ma petite pierre modestement ajoutée au fragile édifice de la mémoire des victimes des Crimes contre l'Humanité.

1

« Nous, l'État, Hitler et Himmler,
prenons la responsabilité. Vous,
les médecins, n'êtes que les instruments. »
Le code de Nuremberg

Comment un médecin peut-il devenir un bourreau ? Comment un homme qui s'est donné pour
destin de soigner les autres décide-t-il de les faire
souffrir ? Dans le magnifique palais de justice de
Nuremberg, situé dans l'une des rares parties de la
ville à ne pas être un champ de ruines, les experts
chargés de juger la vingtaine de médecins accusés ont dû maintes fois se poser la question. Nous
sommes à la fin de 1946. Le procès de Nuremberg,
qui s'est tenu de novembre 1945 à octobre 1946,
vient à peine de s'achever que débute le procès des
médecins, un des procès qui se sont aussi tenus à
Nuremberg. La tâche des experts est loin d'être
aisée : ils doivent rendre la justice pour des actes
que l'évidence et le sentiment font immédiatement

basculer dans l'horreur, l'horreur inqualifiable et inimaginable des expérimentations sur l'être humain.

Un peu avant la fin du « grand » procès de Nuremberg, celui des dignitaires nazis, une commission d'experts, placée sous l'autorité de l'Office des crimes de guerre, a été chargée d'enquêter sur la « médecine » nazie dans les camps. À la tête de la commission, Clio Straight – un homme dont la droiture est à la mesure du nom – a rassemblé la documentation, les preuves, les pièces à conviction et les témoignages, nombreux, accablants. Abomination parmi les abominations, Straight livre le constat que, en plus de donner la mort, les médecins nazis ont infligé une souffrance sans équivalent, pire que la chambre à gaz. Les membres de la commission, puis l'auditoire, découvrent qu'à Dachau Sigmund Rascher a fait agoniser des prisonniers dans des piscines glacées pour mener des recherches sur l'hypothermie, qu'à Buchenwald et Natzwiller les victimes ont été inoculées sciemment avec du typhus, du choléra et d'autres maladies infectieuses, qu'à Ravensbrück il s'agissait de casser les genoux des femmes pour mener des expériences sur les muscles, qu'à Auschwitz Mengele a eu tout le loisir de donner libre cours à ses fantasmes sur la gémellité. Ce dernier, pourtant, n'est pas présent au procès : il est parvenu à s'enfuir et, ironie du sort, lorsque le procès débute, il n'est pas très loin. Caché en Bavière, dans sa famille, il s'envolera pour l'Amérique latine, où il mourra de mort naturelle en 1979. Si Rascher a été tué, d'autres sont arrêtés *in extremis* comme Oskar Schröder, Siegfried Ruff et Konrad Schäfer, qui ont déjà retrouvé un emploi, commencé une nouvelle vie pour... l'armée de l'air américaine. Que ces bourreaux soient absents, morts, ou disparus, leurs crimes demeurent, dans la bouche de l'accusation. Pour le moment, c'est déjà bien suffisant.

Ils sont une vingtaine sur le banc des accusés, de spécialités et d'âges divers (entre trente-cinq et soixante-deux ans au moment du procès) : quatre chirurgiens (Karl Brandt, Fritz Fischer, Karl Gebhardt, Paul Rostock), trois dermatologues (Kurt Blome, Adolf Pokorny, Herta Oberheuser), quatre bactériologues (Siegfried Handloser, Joachim Mrugowsky, Gerhard Rose et Oskar Schröder), un spécialiste de médecine interne (Wilhelm Beiglböck), un radiologue (August Weltz), deux médecins généralistes (Waldemar Hoven, Karl Genzken), un généticien (Helmut Poppendick) et quatre chercheurs (Hermann Becker-Freyseng, Wolfgang Romberg, Siegfried Ruff et Konrad Schäfer). L'ordre des médecins est représenté dans toutes ses variétés. Il n'y a qu'une seule femme, Herta Oberheuser, ce qui est assez représentatif de la médecine d'alors. Ils n'ont rien de spécial, ils ressemblent à leur époque.

J'ai affiché dans mon bureau les photos de certains d'entre eux. Parfois, je les observe pour essayer de comprendre ce qui a pu les transformer en bourreaux, ce qui, dans leur personnalité, leur histoire, a pu entrer en réaction physique avec cette période monstrueuse et donner ce composé chimique incroyable apte à transformer un médecin en assassin, un chercheur en tueur.

On aurait envie, idée préconçue qui n'a d'autre fonction que de nous rassurer, surtout ceux qui, comme moi, appartiennent à la profession médicale, on aurait envie que ces grands criminels aient été de petits médecins. On aurait envie qu'ils aient été des ratés, des praticiens pas très malins qui, influencés par leur environnement et l'idéologie, ont profité de l'époque et de l'isolement des camps pour jouer à l'inventeur : ils avaient des ordres, ils pouvaient agir librement, en l'occurrence expérimenter directement sur l'homme, en sautant les étapes, allant ainsi contre le protocole médical. Certes, ce dernier n'était pas aussi méticuleux et balisé qu'aujourd'hui, mais il n'était pas inexistant. La nécessité du consentement volontaire était mise en avant, si bien que des médecins préféraient pratiquer les expériences sur eux-mêmes.

À présent, toutes les expériences doivent d'abord être faites sur des tissus, puis sur de petits animaux, puis sur des gros, avant d'être proposées à un très large échantillon d'individus sains et enfin à des malades, en double aveugle pour que ni le médecin ni le patient ne puissent être influencés par l'effet placebo. Tout ce protocole prend du temps, énormément de temps : des décennies peuvent séparer l'idée du chercheur du résultat final. Alors, en temps de guerre, quand les hommes succombent en masse, quand les aviateurs qui tombent dans la mer meurent de froid, ce temps peut sembler superflu. Il n'en est rien et tous les médecins l'acceptent. Cependant quand l'idéologie dominante prône *Geradeaus*, tout droit, et que le mot d'ordre d'Himmler aux scientifiques clame : « Essayez toujours », des hommes comme Rascher n'ont guère de scrupules à plonger des prisonniers dans l'eau glacée ! L'opinion générale, en simplifiant, voudrait croire que ces médecins du mal aient été avant tout de mauvais médecins, victimes de leur époque folle, des êtres tellement médiocres qu'ils sont devenus méchants. Pour les plus intelligents ou pour les plus doués, c'est la folie qui est invoquée : Mengele était un malade mental. Pourtant la plupart ont étudié dans les grandes facultés de l'Allemagne d'alors, d'une très grande réputation pour nombre de disciplines, dont la médecine. Notons d'ailleurs que certains médecins haut placés ne se sont pas fait prier pour venir en personne assister aux expériences. Sur les photos d'époque, on constate que ces médecins du mal ont l'apparence de médecins ordinaires. Une autre idée préconçue est que ces expériences n'aient eu aucune utilité. Il est vrai que, d'un point de vue méthodologique, ces expériences ne sont pas « reproductibles », et que, d'un point de vue statistique, elles ne sont pas représentatives (le panel est « trop » restreint). En outre, ces expériences n'apprirent rien que l'on ne sût déjà sur l'hypothermie, la mescaline, la consommation d'eau salée, l'évolution des plaies ouvertes ou le déroulement des maladies infectieuses (jusqu'à la mort). Toutefois, les résultats n'ont pas tous été inexploités, à défaut d'être inexploitables.

L'élément le plus intéressant, pour comprendre, est à mes yeux les arguments que les médecins ont donnés pour leur défense lors du procès. Naturellement, je ne crois pas qu'ils soient justes, mais ils témoignent de leur vérité, de l'histoire, dont ces médecins voulaient qu'elle soit crue, à commencer peut-être par eux-mêmes. Certes il s'agissait de sauver sa peau, mais aussi peut-être de sauver son âme. Leurs arguments sont au nombre de sept : le caractère obsolète du serment d'Hippocrate, l'analogie avec les expériences menées aux États-Unis, la responsabilité du totalitarisme hitlérien, le caractère désintéressé des chercheurs, le souhait d'améliorer le sort de l'Humanité, la limite des modèles animaux expérimentaux et l'occasion pour les détenus de se racheter pour les crimes qu'ils ont commis. Aujourd'hui encore, tous les aspirants médecins prononcent le serment d'Hippocrate, traduit en ces termes :

Au moment d'être admis à exercer la médecine, je promets et je jure d'être fidèle aux lois de l'honneur et de la probité.

Mon premier souci sera de rétablir, de préserver ou de promouvoir la santé dans tous ses éléments, physiques et mentaux, individuels et sociaux.

Je respecterai toutes les personnes, leur autonomie et leur volonté, sans aucune discrimination selon leur état ou leurs convictions. J'interviendrai pour les protéger si elles sont affaiblies, vulnérables ou menacées dans leur intégrité ou leur dignité. Même sous la contrainte, je ne ferai pas usage de mes connaissances contre les lois de l'humanité.

J'informerai les patients des décisions envisagées, de leurs raisons et de leurs conséquences. Je ne tromperai jamais leur confiance et n'exploiterai pas le pouvoir hérité des circonstances pour forcer les consciences.

Je donnerai mes soins à l'indigent et à quiconque me le demandera. Je ne me laisserai pas influencer par la soif du gain ou la recherche de la gloire.

Admis dans l'intimité des personnes, je tairai les secrets qui me seront confiés. Reçu à l'intérieur des maisons, je respecterai les secrets des foyers et ma conduite ne servira pas à corrompre les mœurs.

Je ferai tout pour soulager les souffrances. Je ne prolongerai pas abusivement les agonies. Je ne provoquerai jamais la mort délibérément.

Je préserverai l'indépendance nécessaire à l'accomplissement de ma mission. Je n'entreprendrai rien qui dépasse mes compétences. Je les entretiendrai et les perfectionnerai pour assurer au mieux les services qui me seront demandés.

J'apporterai mon aide à mes confrères ainsi qu'à leurs familles dans l'adversité.

Que les hommes et mes confrères m'accordent leur estime si je suis fidèle à mes promesses ; que je sois déshonoré et méprisé si j'y manque.

C'est magnifique, c'est édicté en grec ancien, mais la science et la société ont quand même fait quelques progrès depuis le Ve siècle avant J.-C. Or, en 1939, en Allemagne comme ailleurs, seul ce texte garantit l'éthique, un autre mot que nous devons à la pensée grecque, régit la conduite du médecin. Et c'est par conséquent ce beau texte que la défense tord et dénature pour lui donner le sens qui l'arrange. Rien que cela constitue un crime contre l'ordre des médecins ! Leur premier argument consiste à dire qu'il n'y est pas fait mention de l'expérimentation et que, donc, les médecins se sont trouvés éthiquement démunis. Pourtant, la phrase : « Je respecterai toutes les personnes, leur autonomie et leur volonté », parle d'elle-même. Mais, continue la défense, les prisonniers ne sont pas des patients, ce sont des prisonniers, des criminels, et par conséquent le médecin n'est pas tenu par le serment, surtout s'il vise à « promouvoir la santé dans tous ses éléments ». En effet, c'est un autre morceau de bravoure du procès : en expérimentant sur les prisonniers des camps, c'est-à-dire en les soumettant à une pratique qui s'approche plus de la torture que de la science, les médecins ne visent qu'à un seul but : soulager et faire progresser l'Humanité. La défense interroge dans un autre de ses morceaux de bravoure : « Que feriez-vous si la cité était malade de la peste et que, en tuant cinq personnes, vous pouviez en sauver cinq mille ? » C'est beau comme une tragédie grecque, mais c'est absurde car, comme le rappelle l'expert américain Andrew Ivy, aucun médecin ne laisserait sur sa conscience la tache indélébile de la mort d'innocents. Pourtant, à cette époque folle, ces cinq innocents ne sont que des sous-hommes, l'humanité étant alors limitée à la « race aryenne ». Intervient à ce moment un autre argument : la prégnance de l'idéologie. Sur ce point, il faut préciser que le corps médical fut particulièrement subjugué par l'idéologie nazie. D'abord parce que la médecine d'alors était nourrie d'eugénisme, bien avant la guerre, ensuite parce que le régime, très soucieux de la médecine dans le cadre de la purification raciale, a très tôt promulgué la *Gleichschaltung*, l'égalisation, qui a mis au ban de la profession tous les médecins d'origine juive et donné ainsi un emploi à nombre d'étudiants en médecine, une profession, rappelons-le, où existe un *numerus clausus*. En conséquence, la plupart des médecins ont la carte du parti nazi en 1939. Fournissant un autre argument des accusés, Fritz Fischer évoque une véritable « dépersonnalisation ». Il est vrai que les expériences ont été faites dans le cadre de la guerre et que les médecins, quand ils ne portaient pas la blouse, étaient en uniforme. Le discours de Fischer est éclairant : « À cette époque, je n'étais plus un médecin civil libre, mais un soldat tenu à l'obéissance. » Il poursuit en ces termes : « En 1942, l'individu ne pouvait obéir à sa loi intérieure ; il était soumis à un ordre plus élevé, à une communauté plus élevée… En tant qu'individu dans un État libre, je n'aurais pas fait ce que j'ai fait, mais, en temps de guerre, dans un État totalitaire, il y a des situations où l'individu doit se soumettre, comme un aviateur qui doit lancer une bombe. Je désire simplement souligner que ce qui est arrivé n'a pas été provoqué par la cruauté, mais uniquement pour nos blessés, dans le cadre de l'État. » Je n'ai heureusement jamais eu à être soldat, mais j'ai quelque mal à imaginer que plonger des hommes dans l'eau glacée pendant des heures et les observer peut être fait sans cruauté. Mais ils étaient consentants, rappelle la défense ! Les médecins des camps pouvaient en effet proposer à leurs cobayes – je n'ose leur donner le nom de patients – un allégement de leurs peines. Bien sûr, peu survivaient et, quand bien même, ce n'était pas au médecin de vérifier que ses collègues de l'administration faisaient appliquer leur demande. À chacun son métier, n'est-ce pas ?

Certains de ces arguments inviteraient à rire s'ils n'étaient à pleurer, de rage et de dégoût. Le pire est sans doute celui concernant l'impossibilité de mener des expériences sur les animaux. Dès 1933, dans la droite ligne de la lubie végétarienne d'Hitler, une loi interdisait d'infliger de mauvais traitements et de la souffrance aux animaux. Ainsi, les médecins, en torturant des hommes, épargnaient des bêtes, et respectaient la loi. Ils n'étaient que des exécutants : « Vous, les médecins, n'êtes que les instruments », disait Himmler. En plus, ils n'agissaient pas de manière intéressée. C'est vrai, ces expériences n'ont pas rapporté un kopeck, au moins durant la guerre.

L'argument le plus délicat concerne les expériences menées aux États-Unis. Les médecins expérimentateurs allemands déclarent sans honte qu'ils ont manifesté un plus grand souci pour la santé des sujets d'expérimentation que leurs collègues d'outre-Atlantique. Ainsi, le Dr Siegfried Ruff se montre circonspect sur la méthodologie des expériences américaines en rappelant que « dans l'armée de l'air américaine, les mêmes tests d'entraînement, à douze mille mètres, furent effectués sur des soldats, exactement comme dans l'armée de l'air allemande ; ils eurent plusieurs morts, alors que nous n'en avons pas eu, parce que les Américains maintenaient leurs équipages à douze mille mètres pendant une heure, alors que nous ne les gardions que quinze minutes ». Rudolf Brandt, le conseiller personnel d'Himmler, rappelle que les expériences sur le froid aux États-Unis ont occasionné la mort de six personnes. Elles ont ensuite fait l'objet de publications qui ont servi à l'US Air Force. Et de conclure effrontément que « les expériences menées à Dachau avaient avancé leurs propres recherches de plusieurs années ». Et à l'avocat de brandir un exemplaire de la revue *Life* du 4 juin 1945 faisant état d'une expérimentation sur le paludisme dans trois établissements carcéraux où des « gens incarcérés comme ennemis de la société aident à combattre d'autres ennemis de la société », puis il demande : « Voulez-vous nous donner votre opinion sur l'admissibilité de ces expériences ? » Les deux experts américains, Andrew Ivy et Leo Alexander, ont un peu plus de mal à se défaire de l'accusation, mais il leur suffit de rappeler que, dans le cas des expériences américaines, le « consentement volontaire », signé, a été respecté.

Enfin, les accusés dénoncent le vide éthico-juridique dans le domaine des expérimentations humaines et regrettent qu'il n'y ait pas de législation. Le Dr Kurt Blome, vice-président de la Chambre des médecins du Reich, annonce qu'il avait l'intention, après la guerre, de mettre en place une réglementation légale des expériences humaines, car il projetait de réaliser une série d'expériences sur le cancer, contre lequel les nazis menèrent une véritable guerre et firent quelques découvertes fondamentales (dont le lien entre cancer du poumon et exposition au tabac).

« Mettre en place une réglementation légale des expériences humaines », voilà bien le seul souhait de ces hommes dont je me réjouis qu'il ait été exaucé. En effet, au terme de ce procès naît le « code de Nuremberg », amendé et complété quelques années plus tard, qui pose les bases de la bioéthique et de ce qui est tolérable en matière d'expérimentation sur l'humain. Instaurant l'idée de « consentement éclairé », il est le fruit non seulement des questions soulevées par l'accusation mais aussi par la défense des accusés. Il régit aujourd'hui l'éthique médicale.

Peut-on dire que c'est un mal pour un bien ? Pessimistes et optimistes s'en feront leur idée dans les pages qui vont suivre.

2

« Le matériel humain »
Sigmund Rascher

Il n'y a qu'une dizaine de kilomètres entre Munich et Dachau, pourtant un monde sépare la pétillante cité de Bavière du plus ancien camp de concentration d'Allemagne. L'idée en revient à un homme de la région et bras droit d'Hitler, Heinrich Himmler. Himmler : son nom évoque en allemand le ciel (*Himmel*) et pourtant il n'est jamais en peine d'idées diaboliques. En effet, c'est sur son injonction que, dans le froid du mois de février 1944, un véhicule brinquebalant, un camion à charbon précisément, souille un paysage de neige. Dans ce décor lugubre, en noir et blanc, le camion transporte, dans le plus grand secret, vers une destination encore plus lugubre, le camp de Dachau, un lourd paquet. À l'intérieur, un long caisson vertical, qui aurait tout du cercueil s'il n'était doté de grosses manettes permettant non seulement de sceller ce quasi-tombeau mais aussi d'en régler la pression, en d'autres termes de contrôler le niveau d'Enfer de ceux qui y sont séquestrés.

De l'autre côté, le destinataire, un petit monsieur un peu trapu, à la chevelure rousse et rare malgré son âge, exulte. Dix jours auparavant, le Dr Sigmund Rascher a fêté son trente-neuvième anniversaire et Himmler ne saurait lui faire de plus beau cadeau : un magnifique caisson de décompression, accompagné de toutes les autorisations nécessaires pour mener à bien les expériences aéronautiques dont il rêve et que ses pairs lui refusaient. En effet, depuis son service militaire dans l'armée de l'air, Rascher nourrit une admiration et une passion fidèles pour l'aviation. Or le problème est que, entraînés par leurs ennemis de la Royal Air Force, les avions volent à des altitudes de plus en plus élevées, si bien que les pilotes, lorsqu'ils sont contraints de s'éjecter du cockpit, sont soumis à des contrastes de plus en plus importants de pression et de température, des conditions insupportables pour le corps humain, aptes à entraîner la mort : quand on les retrouve, les corps des aviateurs ont les tympans crevés, le cerveau et les poumons baignés de liquide, le cœur en guère meilleur état. La question qui se pose est naturellement : qu'est-ce qui cause la mort ? En théorie, il est possible à l'homme d'atteindre la hauteur qu'il désire… pourvu qu'il soit dans un avion doté d'une cabine étanche. Mais, dès que la cabine est brisée, le corps est exposé à la dépressurisation, au froid et au manque d'oxygène, proportionnels à l'altitude. Le Centre allemand d'essais aéronautiques situé à Adlershof, près de Berlin, est chargé d'étudier la physiologie cardiorespiratoire à haute altitude. Or, si la médecine de l'époque est renseignée sur les effets de l'altitude sur l'homme jusqu'à 8 000 mètres, au-delà, c'est presque l'inconnu. Le Centre a bien tenté quelques expériences sur des animaux, mais, d'une part, il est assez difficile de leur demander d'ouvrir un parachute et, de l'autre, une loi a récemment interdit les expériences animales.

Jeune chercheur ambitieux, le Dr Rascher ne rate pas un colloque sur la question et reçoit même, en 1941, une formation spécifique en médecine aéronautique. Le domaine en lui-même est plutôt passionnant : l'aviation est alors, sans jeu de mots, un domaine pilote. Il s'agit de sauver des vies humaines en déterminant les limites au-delà desquelles un homme ne peut survivre à l'altitude et fournir ainsi un protocole aux pilotes, leur indiquant, entre autres, à quelle hauteur il est possible de s'éjecter et quand ouvrir leur parachute. En ce domaine, la médecine piétine et le bilan humain est chaque jour plus important, tandis que l'ennemi britannique (comment font-ils ?

que savent-ils ? j'y reviendrai plus tard) semble chaque jour gagner de la hauteur, et du terrain.

Dans sa correspondance prolifique avec Himmler, Rascher suggère qu'il a des idées sur la question, mais que, pour gagner du temps (et donc sauver davantage de pilotes allemands), il lui faudrait mener des expériences directement sur l'homme. Il demande très ouvertement à Himmler s'il n'a pas quelques condamnés à mort grâce auxquels la médecine aéronautique ferait un saut spectaculaire, en avant selon Rascher, en arrière selon une bonne partie de la communauté scientifique de l'époque qui se montre très réticente.

On a jugé regrettable de ne pouvoir faire des expériences sur du matériel humain *car, ces expériences étant très dangereuses, personne n'est volontaire. C'est pourquoi je pose la question capitale : pouvez-vous mettre à notre disposition deux ou trois criminels professionnels, à des fins expérimentales ?* (Lettre de S. Rascher à H. Himmler, le 15 mai 1941.)

Himmler se laisse sans grande difficulté convaincre du bien-fondé des théories de ce jeune docteur qui l'inonde de lettres et l'abreuve de flatteries, terminant ses missives par « très honoré Reichsführer ! » et ne lésinant jamais à rappeler sa reconnaissance, son dévouement vis-à-vis du Führer Hitler, mais surtout d'Himmler. Sa plume laisse deviner une servilité et une ambition grossières, mais cela n'est pas un crime et puis, en matière de flagornerie du moins, il n'est pas besoin d'être subtil. Rien d'ailleurs dans la jeunesse de Rascher ne laissait présager l'atrocité de ses actes.

En effet, qui est le Dr Rascher ?

Il se trouve que, à l'occasion de sa candidature au poste de chargé de cours à l'université, le *curriculum vitæ* de Rascher a été conservé. L'homme est né à Munich dans une famille de médecins : il a un père et un oncle médecins ; il n'aime guère son grand frère, un musicien, méprise un peu son père et s'entend mieux avec son oncle, un parcours que l'on devine classique. Il fait des études de médecine très honorables, compte tenu du fait qu'il étudie dans des universités d'excellence, Munich et Fribourg. En 1936, il obtient le diplôme de chirurgien, mais souhaite s'orienter vers la recherche. Il devient alors assistant du Pr Trumb, et l'aide dans ses recherches d'hématologie. De leur collaboration naîtra un médicament, le Polygal, un anticoagulant, destiné à sauver la vie des soldats allemands. Comme beaucoup de jeunes Allemands, Rascher s'intéresse aussi à la politique, à cet « homme nouveau », que les différents régimes souhaitent enfanter. Pour Rascher, comme pour la majorité des médecins de l'époque, cet homme nouveau sera national-socialiste : en 1933, il s'inscrit au parti et, en 1936, à la SA. Jusqu'ici, Sigmund Rascher est un « homme du moment », dont les ambitions personnelles s'inscrivent dans une époque, qui le façonne, et va contribuer à faire de lui un monstre. Nous avons de lui, prise à cette période, une photo d'identité : on y voit un jeune homme « lambda », non pas médiocre, juste moyen, bien coiffé, la raie sur le côté, encore un peu mal à l'aise dans un costume avec une cravate mal nouée. Comme tant d'autres, il est un jeune homme ambitieux qui craint de ne pas être à la hauteur de ses ambitions : un jeune Allemand des années 1930 qui rêve au surhomme, souhaiterait être un bon Aryen tout en étant taraudé par la conscience confuse qu'il pourrait n'être… qu'un bon à rien. Ce n'est aucunement que je cherche des excuses à un homme que je considère comme une crapule mais, dans le cas de Rascher, je crois que les circonstances et l'entourage – à commencer par son épouse et Himmler – ont été déterminants. Il y a bien des façons d'être ou de devenir un sale type, voire un monstre dans le cas de Rascher, et, parmi ces catégories, l'ordure circonstancielle n'est ni la moins répugnante ni la moins dangereuse à mes yeux. Rascher bascule en même temps que son pays, en somme : en 1933 d'abord, lorsqu'il s'inscrit au parti, en 1939 ensuite lorsqu'il fait la connaissance d'un Ange bleu sur le retour, une Lili Marlene à la quarantaine bien entamée, qui se fait appeler Nini. Karoline Diehls lui susurre à l'oreille : « *Ich bin von Kopf bis Fuß auf Liebe eingestellt*[1] », lui présente Himmler et l'invite, pour sa carrière, à devenir SS. Il est plus que probable que la chanteuse fut la maîtresse d'Himmler avant de consacrer ses talents au bonheur et à la carrière de Sigmund Rascher. Sous le charme, ce dernier obéit, prend du galon et perd son âme.

Au camp, ses collègues le décrivent comme un homme d'une affabilité forcée et d'un empressement manquant de naturel, mais sans cruauté. Rascher est du genre à sourire pour montrer ses dents, sans jamais mordre pourtant. Neff, un des assistants, le décrit comme plutôt doux avec les malheureux qui lui servent de cobayes : sans pitié mais sans cruauté, donc. Est-ce par souci de justice ou seulement pour être respecté de son entourage ? Lorsqu'un des gardiens du camp lui amène, au lieu des condamnés à mort qu'il a réclamés, des déportés, il refuse de commencer l'expérience mais dénonce aussi le gardien à son supérieur, qui le fait transférer dans un autre camp. Il faut dire qu'en matière de délation, Rascher n'est jamais en reste. En 1939, il a dénoncé son père à la Gestapo. Ce dernier, un honnête médecin de Munich, se révèle tellement sans histoire que la Gestapo le relâche au bout de cinq jours. Qu'importe,

---

1. « De la tête aux pieds je ne suis qu'amour », chante Marlene Dietrich dans *L'Ange bleu*.

Rascher réitère et son père est de nouveau emprisonné, puis libéré.

Veule et sans compassion aucune, grognant et montrant les dents avec les uns, Rascher serait prêt à tout pour rapporter un os à ses patrons, Himmler et Nini Diehls. Car Himmler n'est pas son seul maître : au bout de la laisse, il y a aussi Nini Diehls, qui le conseille et le manipule. Le docteur a non seulement un cœur de chien, mais de chien de « dadame ».

Dans la sphère privée comme dans la sphère professionnelle, Rascher repousse les limites de la connaissance et de l'éthique : comme lui et sa femme ne parviennent pas à avoir d'enfants, le couple vole des nouveau-nés : trois garçons « naissent » de cette union criminelle. Chaque fois, le scénario, digne d'une tragédie grecque, est le même : étonnement joyeux du couple, lettre à Himmler, coussins et postiches et, au terme de neuf mois, c'est la fin de la comédie pour l'ancienne chanteuse. Tout est bien qui finit bien et Himmler envoie des chocolats pour toute la famille. Cette affaire rocambolesque n'a jamais été entièrement élucidée. Selon les uns, les nourrissons sont « recueillis », tant il est vrai qu'en temps de guerre les orphelins ou les enfants abandonnés ne manquent pas, selon d'autres, c'est la servante des Rascher qui fait office de « mère porteuse » : en somme, à domicile, un *Lebensborn*, une sorte de pouponnière aryenne. Nini Diehls devient ainsi la plus vieille des jeunes mamans du Reich, à plus de cinquante ans, ce qui, pour l'époque, tient du miraculeux, voire du monstrueux. Cette dernière péripétie sera d'ailleurs à l'origine de la chute de la maison Rascher : j'y reviendrai.

Une des photos les plus connues du docteur le montre souriant, le front dégarni et la joue impeccablement rasée blottie contre le corps emmitouflé d'un bébé, un de ses trois garçons. Je trouve cette photo particulièrement impressionnante, et révélatrice. Si le docteur, pimpant dans son uniforme, regarde l'objectif d'un air fier et ravi, le nourrisson hurle de tous ses jeunes poumons, le regard terrifié. Certes, à l'époque, les photos ne se faisaient pas comme aujourd'hui où nous pouvons à loisir effacer et recommencer la prise, mais le photographe, malgré lui peut-être, a saisi la vérité d'une situation abominable.

Quoi qu'il en soit, des condamnés à mort, ce n'est pas ce qui manque dans l'Allemagne du début des années 1940, et Himmler est intimement convaincu de la nécessité d'expériences sur l'homme. Le plus difficile est de passer outre à l'hostilité du corps médical et d'obtenir le fameux caisson. Rascher a du mal à ne pas ronger son frein et en conçoit un ressentiment tenace à l'encontre de ses pairs. Une fois le scepticisme de la communauté médicale réduit au silence, ce qui, même à

Himmler, prend quelque temps, le Dr Rascher est nommé chercheur à Dachau pour y mener enfin les expériences dont il rêve. Il a carte blanche. Sa mission : sauver des vies depuis un camp de concentration.

3

« Moi, j'expérimente sur des hommes,
et non sur des cobayes et des souris. »
Sigmund Rascher

Hypoxie et hypothermie, le manque d'air et
le manque de chaleur, sont les deux écueils des
aviateurs. En théorie, le corps humain dans une
cabine étanche peut supporter n'importe quelle
altitude, sauf que, en temps de guerre, les cabines
ne le restent guère longtemps et les aviateurs allemands sont morts, soit d'hypoxie, soit d'hypothermie, dans les bras glacés de la mer du Nord
ou de la Manche, quand bien même ils ont été
secourus sur-le-champ. Les résultats et les expériences manquent, même si certaines ont été
menées notamment par un Dr Weltz, à Hirschau,
non loin de Dachau. Il faudrait passer à présent
à un animal plus gros, un singe par exemple,
pour que la science puisse progresser comme il se
doit. Or, pour plusieurs raisons, dont les lois de

protection des animaux de 1933 et 1935, impossible de trouver un chimpanzé dans un laboratoire. Avec la bataille d'Angleterre puis l'attaque de l'Union soviétique, les questions de l'hypoxie et de l'hypothermie deviennent de plus en plus urgentes. Faute de grives, on mange des merles, voilà un discours passéiste, bassement soumis, digne de l'ancien esprit servile, Himmler a tellement mieux à offrir à la communauté médicale : à défaut de singes, les scientifiques pourront expérimenter sur des prisonniers. C'est ainsi qu'il fait répondre à Rascher : *Des prisonniers seront mis avec plaisir à votre disposition pour les recherches sur les hautes altitudes*[1]. Certains héros de l'aviation sont morts en mer, d'autres dans les airs, une centaine sont morts à terre, sans savoir voler, dans le bloc sordide qui fut attribué à Rascher pour ses expériences odieuses.

Rapidement, Rascher préfère opérer seul : par goût du secret peut-être, sans doute aussi par crainte de l'échec, mais il ne tarde pas à demander l'assistance d'un collègue, le médecin SS du

---

1. Sauf mention contraire, les citations de ce chapitre sont extraites des traductions de François Bayle, *Croix gammée contre caducée. Les expériences humaines en Allemagne pendant la Deuxième Guerre mondiale*, Paris, Le Cherche Midi, 1950.

camp, puis la venue d'Himmler, tant ses découvertes ont pris un « tour extraordinaire ».

Les expériences conduites par moi-même et le Dr Romberg ont montré les points suivants : les expériences avec saut en parachute ont prouvé que le manque d'oxygène et la pression atmosphérique basse, à 12 ou 13 km d'altitude, ne causent pas la mort. En tout, 15 expériences extrêmes de ce type furent poursuivies, au cours desquelles survinrent des crampes très violentes, en même temps que la perte de connaissance, mais les fonctions sensorielles redevinrent complètement normales quand la descente atteignit une altitude de 7 km.

Ni la douleur de ces victimes dont les cris, paraît-il, s'entendaient bien au-delà du bloc, ni l'absence totale de rigueur dans le choix des sujets, ni naturellement le manque d'éthique, n'arrêtent le docteur qui passe la barre des 12 kilomètres, supprimant l'oxygène. La victime ne tarde pas à perdre connaissance (en moins de dix minutes), sa respiration se ralentit jusqu'à atteindre trois mouvements par minute, avant de devenir nulle. À ce stade, une cyanose intense apparaît, l'écume montée à la bouche s'est tarie, l'électrocardiogramme est plat. On aurait envie de dire « paix à son âme » pour cet homme dont on ne saura rien de plus que la description raciste de Rascher « un Juif en bon état général, âgé de 37 ans », mais non, car, à peine une heure plus tard, le docteur a affûté ses scalpels et sorti ses instruments pour l'autopsie. Dans un rapport aussi technique qu'insoutenable, il relate la cage thoracique qu'il fracture, le liquide jaunâtre jaillissant du péricarde perforé et le cœur qui se met à battre de nouveau (il s'agit des battements réflexes). C'est le moment que choisit le docteur pour ouvrir le crâne afin de prélever le cerveau, à l'intérieur duquel se trouve un fort œdème. Le cœur continue de battre, encore huit minutes.

Une telle horreur n'appelle aucun commentaire, n'importe quel humain lisant ces lignes ne peut qu'être saisi de répugnance et d'indignation, voire de rage, pourtant, le Dr Rascher, lui, conclut en ces termes :

Les préparations anatomiques seront conservées pour être examinées plus tard. Le cas mentionné en dernier lieu est, à ma connaissance, le premier de ce type qui ait jamais été observé sur un homme. Les mouvements du cœur décrits ci-dessus présentent un intérêt scientifique d'autant plus grand qu'ils ont été enregistrés jusqu'au bout sur un électro-cardiogramme.

Les expériences seront continuées et étendues. Un autre rapport suivra lorsque de nouveaux résultats auront été obtenus.

En effet, les expériences sont poursuivies et étendues : Himmler est ravi, très impressionné par ce qu'il considère comme une résurrection, demandant à ce que *les expériences soient exploitées de façon à déterminer si ces hommes peuvent être rappelés à la vie.*

Grand seigneur, il ajoute : *Si cette expérience réussit, le condamné aura sa peine commuée en emprisonnement à vie, dans un camp de concentration. Tenez-moi au courant de ces expériences. Cordialement vôtre, et Heil Hitler !*

Les expériences à de plus hautes altitudes entraînant fatalement la mort, pour « rappeler à la vie » le Dr Rascher se penche sur un autre problème, concernant non seulement les aviateurs mais aussi les marins et les soldats du front de l'Est, l'hypothermie. À l'époque, et la question restait encore posée à la fin des années 1980, il s'agissait d'évaluer les effets sur la survie, soit d'un réchauffement rapide (bain d'eau chaude), soit d'un réchauffement lent (par chaleur humaine, par exemple). D'un point de vue scientifique et historique, la recherche sur l'hypothermie est donc pleinement justifiée. En revanche, rien ne justifie de faire ces expériences sur des hommes. J'ai demandé ses lumières à mon confrère Xavier Bigard, il m'écrit que les réponses aux questions pratiques posées auraient aussi pu être apportées par d'autres travaux antérieurs réalisés sur modèles animaux dans d'excellentes conditions scientifiques (il s'agit des travaux de Lepczinsky sur les traits d'urgence au froid à la fin du XIXe siècle). L'ensemble de ces expérimentations, dont certaines ont été réalisées sur des modèles physiologiquement très proches de l'homme, sans fourrure (modèle porc), ont amené à des conclusions strictement identiques à celles obtenues dans des conditions éthiquement inacceptables. Les spécialistes allemands le savaient (Rascher peut-être aussi, lui qui, sans être spécialiste, s'était documenté) car, à Hirschau, non loin de Dachau, ils menaient des expériences sur l'hypothermie en utilisant des animaux. Toutefois, sur le centre d'Hirschau pèse l'ombre du Dr Weltz, qui y aurait peut-être dissimulé des expérimentations sur l'homme.

Évidemment, Himmler ne tint pas parole (si tant est que la détention à perpétuité dans un camp nazi puisse être plus enviable que la mort immédiate) et les expériences concernant l'hypothermie furent peut-être encore plus atroces que celles sur l'altitude. Pour éviter les modifications sanguines, Rascher prend bien soin de ne pas administrer d'anesthésiques à ses victimes. Deux types d'expériences sont menées, sur froid sec et sur froid humide. Pour les premières, Rascher se contente de laisser les cobayes dehors, en haillons, voire nus, dans le froid de l'hiver allemand. Les hurlements des victimes lorsque leurs corps commencent de geler étaient si forts que Rascher demanda à Himmler d'opérer à Auschwitz, où de grands espaces vides existaient à proximité du camp. Les expériences sur le froid humide se font dans une piscine de deux mètres sur deux remplie d'eau maintenue à deux degrés par l'ajout de glace. Les hommes y sont jetés soit vêtus d'une combinaison d'aviateur avec un gilet de secours, soit nus. Rascher, aidé du Pr Holzlöner, chronomètre, écoute leur cœur et leur respiration grâce à un stéthoscope spécial, suffisamment long pour permettre l'auscultation sans interrompre l'immersion. De temps en temps, les hommes sont extraits du bassin pour que le docteur mesure la température, par voie rectale de préférence. Les rescapés ont droit à un traitement de choix : soit ils sont jetés tels quels sur une paillasse, soit des couvertures sont mises à leur disposition, soit des prostituées. En effet, Himmler et Rascher, à sa suite, croient au réchauffement corporel, à la magie de la vie, en somme. Et tout ce beau monde de se rincer l'œil en exigeant des malheureux qu'ils fassent l'amour, sans que beaucoup y parviennent, après un traitement pareil !

Il se produit un mini-drame, un événement tragi-comique : une des prostituées est non seulement une belle femme, mais elle est blonde aux yeux bleus. Scandalisé de voir une jeune Aryenne livrée en pâture aux détenus, Rascher obtient d'Himmler qu'elle soit retirée de l'expérience. Si le rapport final de Nuremberg a pu établir la mort de 13 personnes, les victimes ont sans doute été beaucoup plus nombreuses.

Pour que l'espoir ne disparaisse pas, même dans des situations pareilles, il y a toujours des survivants, aux témoignages tristement éloquents. Hendrik Bernard Knol a une vingtaine d'années lorsqu'il est incarcéré à Dachau, en août 1942. Il fut la victime des deux expériences, sur les hautes altitudes et sur le froid. À la Libération, il vient déposer au Bureau des crimes de guerre d'Amsterdam :

Un matin, je reçus l'ordre de décharger des blocs de glace d'un camion et de les jeter dans un bain rempli d'eau. Je ne comprenais pas le but de cette opération ; mais il me devint clair par la suite. Lorsque j'eus fini ce travail, un médecin me prit des échantillons de sang ; c'était en février 1943 ; le soir à neuf heures, je reçus l'ordre de me déshabiller ; une ceinture de sauvetage me fut donnée, ainsi que différents instruments que je ne connaissais pas ; Himmler assistait personnellement à ces préparatifs, accompagné de son chien. Brusquement je reçus un coup de pied, et je tombai dans l'eau glacée. Pendant que je m'y trouvais, Himmler me demanda si j'étais rouge ou vert[1]. Je lui dis que j'étais rouge, et

---

1. Dans le système concentrationnaire nazi, le triangle vert est attribué aux criminels de droit commun, le rouge aux prisonniers politiques, le brun aux Tziganes, le bleu aux apatrides, le rose aux homosexuels, le violet aux témoins de Jéhovah et le tristement célèbre triangle jaune aux Juifs. Ceux

il me répondit : « Si vous aviez été vert, vous auriez eu une chance de liberté. »

Je ne sais combien de temps je restai dans l'eau glacée, ni ce qui m'arriva, car je perdis connaissance ; lorsque je revins à moi, j'étais étendu dans un lit entre deux femmes complètement nues qui essayèrent de provoquer un acte sexuel, mais sans succès.

Quand j'eus complètement retrouvé mes sens, on me porta à l'hôpital, où je restai pendant trois jours bien traité, puis je repris mon travail. Peu de temps après, je présentai une inflammation des orteils, et fus envoyé à nouveau à l'hôpital ; lorsque je fus guéri, à peu près pendant l'été de 1943, on m'appela à nouveau, et on m'habilla d'une tenue complète d'aviateur ; on me donna encore une ceinture de sauvetage, et on m'appliqua les mêmes instruments médicaux que lors de mon premier bain ; on me jeta à nouveau dans un bain rempli de glace ; je perdis connaissance et, quand je revins à moi, je me trouvai dans un bain d'eau chaude ; ma poitrine était très gonflée ; on me plaça tout de suite dans une sorte de caisse horizontale, où il faisait terriblement chaud. Je suai abondamment ; je ne sais pas

---

qui sont soupçonnés de vouloir s'évader portent dans le dos une sorte de cible blanche et rouge. Enfin les « NN », *Nacht und Nebel*, sont les résistants et maquisards, destinés à disparaître, engloutis dans la « nuit et le brouillard »… (*N.d.A.*)

exactement combien de temps je restai dans cette caisse ; on me mit ensuite au lit pour trois jours, et je repris mon travail.

Il n'y a pas grand-chose à ajouter à un témoignage aussi précis et aussi poignant, si ce n'est que les instruments dont il est question sont au cœur du problème d'éthique qui s'est posé plus tard. En effet, ces expériences ont été menées, à la différence de celles sur l'altitude, avec la rigueur scientifique nécessaire pour que les résultats en soient exploitables. Qui plus est, alors que les expériences, lorsqu'elles ne sont pas éthiques, se déroulent dans l'ombre, celles de Rascher ont été faites avec l'aval de l'État d'alors et, même si le laboratoire a été détruit, Leo Alexander, l'expert qui fut chargé de les étudier à la Libération, s'est trouvé face à des piles de résultats bien documentés. L'éminent Dr Alexander conclut son rapport par ces phrases terribles :

On doit admettre que le Dr Rascher, bien qu'il se soit vautré dans le sang (autopsie immédiate des sujets qui venaient d'être tués) et dans l'obscénité (il laissa mourir des sujets refroidis, dans un lit avec des femmes nues, afin de démontrer l'inefficacité relative de cette méthode de réchauffement, tout en se tenant prêt à mesurer la température rectale de ceux qui avaient suffisamment récupéré pour pratiquer un acte sexuel), semble néanmoins avoir résolu la question du traitement en état de choc dû au froid.

Les processus entraînant la mort, les solutions les meilleures pour réchauffer un homme, l'inefficacité de l'éthanol qui était jusqu'alors utilisé, autant de questions pour lesquelles les résultats des expériences de Dachau donnent des pistes, même si, rappelons-le, des expériences sur des animaux auraient suffi. Imaginez alors : que feriez-vous ? Que feriez-vous, d'autant plus que certaines des victimes ont signifié que les résultats des expériences qu'elles avaient subies pouvaient être exploités ? Que feriez-vous en apprenant que certains de ces savants ont mis par la suite leurs talents au service des plus grandes démocraties[1] ?

Quant à Sigmund Rascher, il est emprisonné avec sa femme, sur ordre d'Himmler, au printemps 1945, avant la libération du camp. Le Reichsführer n'aurait pas apprécié que le couple infernal lui ait fait non pas un, mais plusieurs enfants dans le dos. Parfois, c'est l'histoire elle-même qui rend justice : après avoir tenté de s'échapper, Rascher et son épouse sont tués par les SS.

---

1. Voir chapitre 15, « Opération Paperclip ».

4

« Vous allez devenir fous. »
Wilhelm Beiglböck

La soif prend une forme difficile à supporter, le malade est étendu sans mouvement avec des yeux mi-clos [...] L'état général est alarmant et la respiration est pénible. Les yeux sont profondément cernés. Les muqueuses de la bouche et des lèvres sont sèches, et couvertes de croûtes [...] le malade gît sur le dos et se roule, il présente aussi une crise de rigidité organique stéréotypée avec des signes tétaniques intenses[1]...

Des pages et des pages de descriptions cliniques. Des dizaines de lignes notant scrupuleusement, méthodiquement, les symptômes de ces « malades » : celui qui écrit, qui note, qui recense, est un médecin sérieux, j'oserais presque dire un vrai scientifique.

---

1. Les citations de ce chapitre sont extraites des traductions de François Bayle, *Croix gammée contre caducée, op. cit.*

51

Il doit impérativement aller au bout de ses expériences. Il faut qu'il puisse conclure, sans doute, sans ambiguïté.

Himmler en personne attend de lui aussi qu'il sauve la vie des aviateurs de la Luftwaffe qui tombent en mer et qui restent plusieurs jours avant d'être (peut-être) secourus.

Ils sont nombreux à être morts de soif après que leur avion a été abattu en pleine mer.

Himmler veut que l'on trouve la solution.

Il faut rendre l'eau de mer potable ou, au minimum, connaître la résistance d'un être humain à l'ingestion de cette eau que l'organisme ne sait pas assimiler.

Ils sont deux à se battre comme des chiffonniers pour imposer leur découverte.

Tous les deux pensent avoir trouvé.

Pour l'un, Berka, un ingénieur chimiste, qui a mis au point le Berkatit, il n'y a aucun doute à avoir : il a réussi à supprimer le détestable goût de l'eau de mer. Il suffit que les aviateurs boivent son « eau » pour survivre.

Pour l'autre, Schäfer, Berka est un charlatan. Boire le Berkatit, c'est la mort assurée. Lui, a mis au point un procédé qui rend l'eau de mer véritablement potable.

Le problème est résumé par le médecin général Schröder, chef du service de santé de l'armée de l'air, dans sa déposition au procès des médecins de Nuremberg :

En mai 1944, je me rendis à l'Institut où Schäfer me montra son procédé, et me donna à boire de cette eau filtrée. C'était exactement de l'eau fraîche.

Mais ce procédé exigeait pour un kilogramme d'eau, deux cents grammes de cette mixture salée et un filtre plutôt compliqué. Ceci était compliqué à incorporer à un équipement d'urgence qui devait être très léger. Schäfer me promit d'améliorer son procédé.

L'alternative n'est guère compliquée : il y a, d'un côté, une eau de mer rendue potable, et donc sans danger pour l'organisme, mais par une technique impossible à emporter en vol, de l'autre, une eau rendue potable « gustativement » parlant et qui ne nécessite qu'un peu de sucre et du matériel léger, mais dont il faut faire la preuve de l'innocuité.

Voici la mission confiée à Wilhelm Beiglböck dans un contexte de guerre d'influence entre les services concernés : trouver laquelle de ces « eaux » sauvera les naufragés. Le temps presse : nous sommes en 1944, l'Empire qui devait durer mille ans bat de l'aile depuis un moment, des essais sur l'homme sont donc décidés.

Toutes les sommités médicales interrogées à Berlin au printemps 1944 sont d'accord sur le fait qu'il faut tester les deux méthodes en parallèle.

On évoque la possibilité de demander aux étudiants en médecine de l'académie de Berlin, mais c'est impossible car ils partent dans les différentes unités. Ceux de l'hôpital militaire, quant à eux, sont débordés par le nombre de blessés. C'est alors que le service technique suggère de se servir dans les camps de concentration qui, dit-on, regorgent de détenus coupables de certains délits et qui pourraient trouver là une forme de rachat vis-à-vis de la société.

En attendant les formalités administratives, Beiglböck ne perd pas une minute. Il passe plusieurs semaines à Berlin afin de lire et relire toute la littérature médicale sur la problématique de la soif. Il ne trouve rien, aucune étude, sur la quantité d'eau de mer qu'un naufragé peut consommer sans danger.

Il apprend que, dans des conditions défavorables, un homme ne peut pas tenir plus de trois ou quatre jours sans boire, huit à quatorze jours dans des conditions idéales. Boire de l'eau salée, c'est obliger les reins à éliminer ce sel en excès. Les reins ne tardent pas à fatiguer : leur limite d'élimination est vite atteinte.

Le sel attire l'eau, tous les médecins le savent. Augmenter la quantité de sel dans les urines revient à pomper l'eau de l'organisme. Le volume d'urines devient de plus en plus important, entraînant la déshydratation.

Cette déshydratation va, à son tour, produire une soif terrible. Or la seule eau disponible pour un naufragé est l'eau de mer… c'est le cercle vicieux.

À cela s'ajoute la diarrhée, conséquence de la présence de sel dans les intestins et, là aussi, d'afflux d'eau. Comme l'organisme ne parvient pas à éliminer tout le sel bu, l'eau qui reste va engorger les organes comme le foie, qui se met à gonfler.

Tous ces symptômes sont connus au printemps 1944.

On sait la souffrance endurée par des hommes que l'on prive d'eau.

On connaît les risques vitaux.

Qui plus est, une réunion, le 19 mai 1944, critique sévèrement la méthode Berka. Les médecins y précisent que quiconque boit de cette eau meurt dans un délai de douze jours. Berka s'entête et a réponse à tout : il estime en effet que l'ajout de vitamine C dans sa mixture permet l'élimination du sel par les reins.

Il pensait, en termes peu médicaux, que sa solution permettait au sel de « passer à travers le corps », qu'il se formait « un composé entre le sucre et le sel, une sorte de cristallisation mixte ».

C'est le lendemain, lors d'une autre réunion, que l'un des plus célèbres médecins allemands, mondialement reconnu, le Pr Hans Eppinger, confie à son proche collaborateur, Wilhelm Beiglböck, la responsabilité des expériences.

Himmler jubile et donne son accord.

La première expérience ne devra pas dépasser six jours.

La seconde, douze…

La méthodologie est simple, rigoureuse, scientifique.

Certains boiront de l'eau de mer, d'autres l'eau traitée avec la méthode Berka. Un autre groupe aura droit à l'eau de Schäfer, un quatrième à de l'eau potable. Certains seront totalement privés d'eau.

Les « volontaires » sont des déportés tziganes de Buchenwald.

Ils sont sélectionnés et pensent qu'ils vont intégrer des commandos chargés de déblayer les ruines des immeubles bombardés à Munich.

Ce ne sera pas Munich mais Dachau, à quelques kilomètres de la grande ville allemande.

Ils sont examinés, passent des radiographies, et apprennent qu'ils vont participer à des expériences médicales.

Un médecin de la Luftwaffe s'adresse à la quarantaine de Tziganes : *Vous êtes sélectionnés pour des expériences sur l'eau de mer. Vous allez commencer par recevoir de la bonne nourriture, comme*

vous n'en avez encore jamais vu, ensuite vous jeû-
nerez et vous boirez de l'eau de mer.

Savez-vous exactement ce qu'est la soif ? Vous
allez devenir fous, vous allez croire que vous êtes
dans un désert, vous essaierez de lécher le sable
sur le sol.

Le médecin ne s'était pas trompé.

En quelques jours, les cobayes se tordent de
douleur. Supplient.

Les témoignages sont terribles. Certains décrivent des aboiements.

Beiglböck observe, note.

Lors du procès de Nuremberg, en réponse à
une question, Beiglböck assure :

J'ai pu garantir à mes sujets que rien ne leur
arriverait. Qu'ils seraient soumis à la soif pendant
quelques jours, mais je ne pouvais pas leur dire
exactement pendant combien de temps, et j'ajoutais
qu'ils n'auraient pas soif pendant une période plus
longue que celle dont je pouvais prendre la respon-
sabilité. Je leur dis que s'ils ne pouvaient pas l'en-
durer, ils devraient me le dire et que je considérerais
la question.

La « question » ne sera pas reconsidérée.

Les cobayes qui boivent l'eau de mer ou l'eau
traitée par la méthode Berka souffrent de la soif,
de douleurs, ils convulsent, délirent, emprison-
nés dans le bloc 14 de Dachau. On leur fait des

ponctions du foie pour observer l'évolution de l'organe.

Un infirmier déporté oublie une serpillière après avoir lavé le sol. Les hommes se précipitent pour sucer l'eau croupie qu'elle contient.

Ils faussent l'expérience, Beiglböck s'en aperçoit. Très en colère, il punit. Deux détenus qui avaient bu de l'eau fraîche sont ligotés sur leurs lits.

Les témoignages des rescapés, lors du procès de Nuremberg, sèmeront le doute sur la réalité de la mort de deux des cobayes et surtout sur le comportement et la personnalité de Beiglböck. Certains défendent son « humanité », d'autres le décrivent comme un tortionnaire. Le 27 juin 1947, un ancien cobaye, Hollenreiner, appelé à témoigner, saute dans le box des accusés et tente de frapper Beiglböck. Condamné à trois mois de prison, il expliquera : *Je suis très excité. Cet homme est un meurtrier. Il a ruiné ma santé.*

Reconvoqué un mois plus tard, il témoigne :

J'ai bu la pire qualité d'eau de mer, la jaune. Nous étions fous de soif et de faim, mais le médecin n'avait pas pitié de nous, il était froid comme la glace. [...] Un autre Tzigane refusa de boire de l'eau. On lui fit avaler une sonde d'environ 50 cm de long par la bouche et on lui versa l'eau dedans.

Si Beiglböck se défendit en jurant qu'il avait tout fait pour que les expériences se passent dans les moins mauvaises conditions possibles, il reconnut avoir falsifié les notes que le tribunal avait en sa possession pour éviter que les souffrances endurées par les « volontaires », et qui se traduisaient par les symptômes recueillis, n'influent sur le tribunal.

L'homme au visage balafré que les experts décrivent comme « une personnalité évoluée mais soumise à de brutaux rappels régressifs » a donc tout essayé pour prouver que les expériences qu'il avait dirigées étaient indispensables dans le contexte et qu'il n'avait pas le choix de refuser les ordres de sa hiérarchie.

Ses falsifications, ses notes rajoutées, ses ratures réalisées sur les dossiers avant le procès finissent pourtant par causer sa perte.

Scientifiquement, Beiglböck explique que si ses expériences n'ont pu être totalement concluantes, notamment parce que certains cobayes ont « triché », il a pu émettre un certain nombre de résultats pratiques.

De petites quantités d'eau de mer valent mieux que la soif, alors que de grandes quantités sont dangereuses. Il est conseillé de donner du calcium à une personne buvant de l'eau de mer pendant longtemps.

Quant au dilemme Berka/Schäfer, il confirme ce que l'on savait depuis longtemps, à savoir que l'eau de Berka était inutile et que la méthode de Schäfer fournissait de l'eau potable.

Appelé à la barre, le Pr Andrew Ivy confirme que la méthode est identique à celle utilisée par l'armée américaine.

Dans ses conclusions, le tribunal rappelle qu'« un médecin ne saurait s'abriter derrière un supérieur, même militaire, même en temps de guerre ».

Si l'on admet, avec le Pr Ivy, qu'il n'existait pas d'intention préalable délibérée d'aboutir à une issue fatale, il n'en reste pas moins que là comme dans d'autres expériences [...] on a pratiqué sur des prisonniers qui ne pouvaient s'y soustraire des expériences qu'on ne voulait pas infliger à de véritables volontaires allemands, étudiants ou soldats. Le démon expérimental qui animait Himmler et ses médecins semble s'être emparé des hautes sphères médicales de l'armée de l'air, où l'esprit nazi, pourtant, ne soufflait pas, mais où l'on fit, néanmoins, un pacte avec ce démon.

Beiglböck est condamné seulement à quinze ans de prison ; il en fait à peine la moitié : dès 1952, il exerce comme médecin-chef à l'hôpital de Buxtehude, où il travaille jusqu'à sa mort, en 1963.

5

« Essayez toujours, il en sortira
peut-être quelque chose. »
La science selon Himmler

Himmler n'était pas médecin, pourtant sur sa table de nuit se trouvait une édition des œuvres d'Hippocrate : que faisait le « père de la médecine » au chevet du « meurtrier du siècle », *der Jahrhundertmörder*, comme il fut surnommé à la fin de la Seconde Guerre mondiale ?

L'ouvrage lui avait été offert par sa première femme, Margarete Boden. Infirmière, de quelques années son aînée, c'est elle qui a initié le petit ingénieur agronome falot à toutes les pseudo-sciences en vogue : pêle-mêle, l'homéopathie, la radiesthésie, le mesmérisme, les bains d'avoine et l'herbalisme. Sans être persuadé de l'efficacité des médecines douces, je n'ai rien contre, mais jamais je n'aurais envisagé la possibilité qu'elles puissent transformer un éleveur de poulets de

Waldtrudering en tueur de masse. Car oui, Heinrich Himmler, avant d'être « commissaire du Reich pour le renforcement de la race », « chef suprême de la police et de la SS », avant d'être Himmler en somme, Heinrich Himmler était un ingénieur agronome, fraîchement et difficultueusement diplômé de l'université technique de Munich, qui croyait au retour à la Grande Nature, aux vertus du travail de la terre et aimait beaucoup les bêtes, qu'il destinait à l'abattoir.

Il croyait en beaucoup de choses, si l'on suit les travaux de recherches « scientifiques » qui furent commandés par lui à l'Ahnenerbe, un organisme de recherche fondé en 1935 et piloté quasi exclusivement par la SS, plus précisément par Himmler lui-même. Persuadé que les « Aryens », contrairement au *vulgum pecus*, ne descendaient pas du singe (il faut toujours se méfier de ceux qui récusent le darwinisme), mais de l'Atlantide, ou du ciel, cela dépendait de la climatologie et des neiges éternelles (deux autres marottes « scientifiques » d'Himmler), celui-ci envoya des missions archéologiques aux quatre coins des terres connues afin de rapatrier toutes les « preuves » de la civilisation primordiale, et germanique.

En France, à Montségur, une expédition part à la recherche du Graal. Himmler en personne vient pister les sources de la fontaine de vie. Sans doute effrayé par la magnifique statue de la Vierge noire abritée par l'abbaye, il ne tarde pas à partir pour Barcelone, où l'attendent les dignitaires franquistes, puis Berlin. En Italie, il s'agit non seulement de prouver que les alliés italiens sont, finalement, des cousins germains, mais aussi de mettre la main sur un livre dont Himmler souhaiterait qu'il devienne une nouvelle Bible, le *Germanie* de Tacite, la Bible étant considérée par Himmler comme un avatar abâtardi de la civilisation juive et donc à peine moins dangereux qu'elle. Au Tibet, il s'agit de prouver que, après la chute de l'Atlantide, quelques Aryens y ont trouvé refuge ; en Carélie, en Finlande, des ethno-musicologues partent enregistrer les « mages » locaux, afin de recréer – grâce à leurs sortilèges ? – l'arme ultime, qui n'est ni le Messerschmitt, ni le prototype de missile V2, mais le marteau de Thor ! Tout cela est servi accompagné d'une sorte de mystique SS, un chaos de croyances mêlant, dans un décor wagnéro-vert, les mythologies grecque et germaine. Himmler va jusqu'à organiser pour la SS des cérémonies païennes, comme la grande fête de l'accouplement, où les participants éreintés se voient remis au terme de la bacchanale un chandelier de vie, chaque naissance « aryenne » étant quant à elle célébrée par le don par le parrain (généralement Himmler lui-même) d'un ruban de vie. Lorsqu'aurait lieu l'avènement du Grand Reich, celui qui durerait mille ans, la polygamie serait autorisée, par nécessité de repeupler les terres dévastées... Ce nietzschéisme pour adolescent mal dans sa peau, qui fait froid dans le dos tellement il est simpliste et tellement il a pu être suivi, contient une petite dose d'idéal pour des torrents de ressentiment.

Voyez plutôt : un garçon dominé dans sa fratrie, à la vue basse (il était si myope qu'il ne pouvait pas se passer de ses lunettes, qui lui valurent d'être reconnu lorsqu'il prit la fuite en 1945), qui voudrait s'engager en 1914, mais qui, en raison de son âge et de sa myopie, arrive au front après la bataille, dont le père est un intellectuel (il est le précepteur du prince héritier de Bavière, Heinrich von Wittelsbach), mais qui demeure un élève médiocre, qui voudrait être médecin, mais qui ne décroche qu'un stage de laborantin. Pour couronner le tout, il ne rencontre que des échecs, rares (il est timide), mais constants, avec les femmes. Il ne lui reste guère que des lectures, nombreuses, dont il ne retient que la possibilité d'un monde meilleur, un monde de Seigneurs, de ces grands blonds aux yeux bleus qu'il sélectionne par la suite pour la garde spéciale du Führer. Il a été suggéré que cet attachement au physique nordique venait de sa première femme, Margarete, ou bien de son amour pour l'Antiquité grecque où les héros sont toujours blonds, d'Achille à Oreste... Il se raconte même qu'Himmler a commandé une étude sur le « nez grec » pour, grâce aux *Lebensborn* (les pouponnières nazies), fonder une escouade d'élite d'apollons clonés. Ce qui est sûr, c'est que son physique ne lui permettait guère d'apparaître comme un modèle. Mais les lois de l'aryanisme étaient parfois obscures : ainsi Attila, Gengis Khan et Staline sont promus au rang de « porteurs de gènes germaniques perdus », des sortes de vampires de première classe à détruire, tout comme les Slaves et les inférieurs.

Obsédé par la médecine, Himmler aime à se présenter non seulement comme un protecteur de la science, mais aussi comme un visionnaire, donnant carte blanche aux pratiques les plus douteuses. Ainsi, lorsque Mussolini est enlevé en août 1943, Himmler convoque chiromanciens, mages et voyantes pour une soirée spirite, la télépathie avec le Duce ayant échoué. Mais Himmler a bon espoir, il a fait publier, même dans les camps, l'annonce suivante[1] :

Le Reichsführer-SS et chef de la police allemande réclame, pour une mission de confiance et d'une grande importance pour la sécurité du Reich, des spécialistes de l'occultisme, de la chiromancie, de la radiesthésie. Toutes les personnes ayant des

---

1. Les récits et témoignages qui suivent sont rapportés par Édouard Calic, *Himmler et l'empire SS*, Paris, Nouveau Monde, 2009.

connaissances dans ce domaine, qu'elles soient pro-
fessionnelles ou amateurs, devront se présenter ce
soir à leur chef de bloc. Si la volonté de participer
se montre sincère, elles peuvent envisager un régime
meilleur, et même une libération.

Le camp de Sachsenhausen abonde en talents
de tout crin et ce ne sont pas moins de deux cents
personnes qui répondent à l'appel. Triées sur le
volet, quelques-unes sont acheminées à Wannsee,
avec pour mission d'« entrer en communication
avec une importante personnalité ».

L'une d'elles, l'abbé Le Moing, raconte :

— J'ai pensé d'abord qu'il s'agissait de Goering,
et qu'on craignait qu'il n'eût pris le maquis. On
avait posé la même question à Verweyen. Mieux
informé que moi, il comprit immédiatement qu'on
pensait à Mussolini et que l'on cherchait à savoir
où on le tenait séquestré. Je les avais entendus pro-
noncer le nom du Duce. Comme une grande carte
d'Italie était déployée sur une table, je promenai
mon pendule, il s'arrêta sur l'île d'Elbe. J'ai pensé
à Napoléon, vif intérêt d'Himmler.

— D'Himmler ?

— Oui, il était là avec des officiers de son état-
major. Cependant, je les observais, mais l'arrêt de
mon pendule ne paraissait pas les enthousiasmer…
je l'ai remis en route, vers la Sardaigne… Leurs
visages rayonnaient… Je brûlais, mais le Duce était-il
en Sardaigne ou sur un bateau ? Ça, je l'ignorais.

Mon pendule s'est mis à dessiner de grands huit et des spirales, qui englobaient une bonne partie de cette région de la Méditerranée. L'un de ces huit passait au-dessus de l'île de la Maddalena. Himmler eut un sursaut. J'en restai là. J'avais compris qu'ils avaient des renseignements, mais insuffisants ; Himmler dit à son aide de camp : « À l'abbé de Paris, trois cigares. »

Si le Duce est retrouvé quelques jours plus tard, c'est fort loin de la Sardaigne, mais au Gran Sasso, au sommet des Apennins et, s'il est exfiltré, ce n'est ni par bateau, ni grâce à un pendule, mais par la virtuosité d'un pilote de planeur, Skorzeny : pour le reste, la prédiction est – comment dire ? – d'une exactitude troublante…

Toutes ces théories fumeuses prêteraient presque à sourire, et si vous avez l'impression qu'elles auraient pu servir de scénario à une super ou moyenne production d'Hollywood, vous êtes dans le vrai : ce sont des missions de l'Institut archéologique de l'Ahnenerbe que Steven Spielberg s'est inspiré pour la trilogie d'*Indiana Jones*. Il n'a tout de même pas osé intégrer la figure de Karl Maria Wiligut, sorti d'asile en 1927, qu'Himmler plaça à la tête des recherches sur la préhistoire des peuples germaniques. En 1935, il termine sa brillante carrière dans l'état-major particulier d'Himmler : la réalité est parfois trop abracadabrantesque pour nourrir la fiction.

Toutes ces théories prêteraient presque à sourire donc, si elles n'avaient reçu l'aval de nombre de « vrais » scientifiques de l'époque et n'avaient eu pour conséquence la souffrance et la mort de leurs victimes. La composition de l'Ahnenerbe en témoigne, malheureusement. Ainsi, c'est pour le compte de l'Ahnenerbe que Bruno Beger se rend au Tibet le sourire aux lèvres afin d'étudier les populations du plateau où les Atlantes auraient vécu. Fondé par Herman Wirth, un historien, l'institut est dirigé à partir de 1937 par le doyen de l'université de Munich, Walther Wüst. Sa personnalité et son aura scientifique drainent à l'institut nombre de savants, principalement en histoire, linguistique, archéologie... et médecine. C'est à l'Ahnenerbe que l'on doit les souffrances des cobayes de Rascher (voir chapitres 2 et 3), les expériences sur l'eau de mer de Beiglböck (voir chapitre 4) ou encore l'assassinat d'une centaine de détenus de Natzwiller pour aller garnir de squelettes l'Institut d'anatomie de Strasbourg (voir chapitre 8). Par la suite, les membres de l'organisation expliquèrent leur adhésion par le fait qu'ils ne voulaient pas participer aux tueries sur le front : ils furent acquittés, au bénéfice du doute, et regagnèrent leurs chaires d'université, n'ayant pour seules juges que leurs consciences. Seul Wolfram Sievers, le directeur administratif, est condamné à mort dans l'un des témoignages les plus fameux du procès de Nuremberg : plein de haine, Sievers révèle à l'auditoire qu'il a demandé l'assassinat de plus de cent prisonniers juifs dans le camp de Natzwiller-Struthof, pour que leurs dépouilles rejoignent la collection de squelettes du Pr Hirt.

Himmler, lui, n'est pas à Nuremberg, il a eu le temps de prendre la fuite. Il est arrêté en mai 1945 par les Britanniques à Lüneburg. Sa conscience, ou ses supérieurs, lui a dicté d'avoir sur lui une capsule de poison. Le sergent-major Edwin Austin témoigne de sa rencontre avec l'ancien Reichsführer, le 23 mai 1945 :

On ne savait pas que c'était Himmler, je savais seulement que c'était un prisonnier important. Quand il est entré dans la pièce, non pas la personne élégante que nous connaissons tous, mais en chemise de l'armée et en caleçon long, avec une couverture autour du corps, je l'ai aussitôt reconnu. Je lui ai adressé la parole en allemand, je lui ai indiqué un canapé libre et je lui ai dit : « Voilà votre lit, déshabillez-vous. » Il m'a regardé, puis il a regardé un interprète et il a dit : « Il ne sait pas qui je suis ! » J'ai dit : « Si je sais, vous êtes Himmler et ceci est votre lit, déshabillez-vous ! » Il m'a regardé fixement, mais je lui ai rendu son regard, finalement il a baissé les yeux et s'est assis sur le lit et il a commencé à retirer ses caleçons. Le médecin et le colonel sont entrés, ils cherchaient du poison, nous le soupçonnions d'en dissimuler sur son corps. Le médecin a regardé entre ses orteils, partout sur son corps, sous ses bras, dans ses oreilles, derrière ses oreilles, dans ses cheveux et puis il est arrivé à sa bouche. Il a demandé à Himmler d'ouvrir la bouche, il a obéi et il arrivait à remuer la langue assez facilement. Mais le docteur n'était pas satisfait, il lui a demandé de se rapprocher de la lumière, il s'est approché et il a ouvert la bouche. Le docteur a essayé de lui mettre deux doigts dans la bouche pour mieux regarder. Alors Himmler a retiré la tête d'un seul coup, a mordu le docteur aux doigts et a cassé la capsule de poison qu'il contenait depuis des heures dans sa bouche. Le docteur a dit : « Il l'a fait, il est mort. » On a mis une couverture sur lui et on l'a laissé là.

Selon son secrétaire particulier, Himmler avait une sorte de manie expérimentale qui le poussait à vouloir sans cesse essayer de nouveaux procédés dans tous les domaines. C'est ainsi que des expériences sur le LSD et la mescaline furent menées, sur ordre d'Himmler, dans le but d'obtenir le fameux sérum de vérité, à la suite de l'attentat contre Hitler en juillet 1944. À Dachau, huit prisonniers furent sélectionnés pour tester le peyotl, cette plante mexicaine dont on tire la mescaline.

« Essayez toujours, il en sortira peut-être quelque chose », avait coutume de répondre ce pseudo-admirateur d'Hippocrate aux médecins lui proposant des expériences toujours plus atroces. Souvenons-nous en retour de la parole d'Ambroise Paré : « Guérir parfois, soulager souvent, consoler toujours. »

6

Le « Boucher de Mauthausen »
Aribert Heim

Né le 28/6/14 à Radkersburg de parents alle-mands, j'y ai fait mes études à l'école du peuple et j'ai été au lycée de Graz, dont je suis sorti avec le diplôme de bachelier. À partir de 1931, j'ai étudié à l'université de Vienne où j'ai obtenu mon certi-ficat de latin au département des lettres et ai com-mencé mes études de médecine à partir de 1933. J'ai financé mes études en travaillant, notamment en donnant des cours du soir de soutien. En 1937, j'ai étudié à Rostock et ai commencé à exercer à la cli-nique de l'université. En janvier 1940, j'ai terminé à Vienne mes études de médecine en réussissant mon examen d'État et de ce fait j'ai eu ma promotion. À cette occasion, j'ai pris part à un cours de chirur-gie de la mâchoire et, le 17/4/40, après avoir ter-miné mes obligations militaires, je suis entré dans la Waffen-SS. Après la fin de mon stage dans la SS Btl

Deutschland, jusqu'à la fin de juin 1940 à Munich, j'ai eu la fonction de médecin des troupes dans les endroits suivants : médecin sanitaire à Prague, médecin d'intervention d'urgence à Berlin, division SS nord et médecin sanitaire en Russie, Finlande, Norvège et France[1]...

À ce *curriculum vitæ* exemplaire, Aribert Heim aurait pu ajouter membre de la Croix-Rouge, joueur professionnel de hockey sur glace et médecin dans les camps de Buchenwald, Sachsenhausen et Mauthausen. Toutefois, l'homme athlétique et massif (il mesure plus d'un mètre quatre-vingt-dix) se révèle timide lorsqu'il s'agit de parler de ses bons et loyaux services concentrationnaires : il faut attendre des années pour que la vérité, immonde, sur ces actes, soit connue.

Lentement, atrocement, celle-ci se fait jour, à coups de persévérance et de hasard. Si la « carrière » de Heim comme médecin de *revier*, l'infirmerie dans le vocabulaire propre aux camps, est brève, elle n'en demeure pas moins fulgurante : il n'a besoin que de quelques semaines dans le camp de Mauthausen pour marquer dans leur chair ses

---

1. Sauf mention contraire, les témoignages de ce chapitre sont rapportés dans Stefan Klemp, *KZ-Arzt Aribert Heim. Die Geschichte einer Fahndung*, Berlin, Prospero Verlag, 2010 et traduits par Henri Vergniolle.

« patients », qui le surnomment « le Boucher ».
Mauthausen étant le plus grand camp de travail
de toute l'Europe occupée, il regorge de maladies
et d'épidémies en tout genre. Les médecins sont
là pour mettre un peu d'ordre, c'est-à-dire accé-
lérer la mort des détenus : c'est ainsi que le jeune
Dr Heim révèle sa vraie nature et se métamor-
phose en Dr Tod, « Dr Mort », son autre pseudonyme avec « Boucher de Mauthausen ».

Le premier surnom lui vient de sa dextérité sans
pareille pour réaliser en un temps record une injection létale de pétrole ou de poison, en plein cœur,
pour se débarrasser des malades au plus vite. En
bon athlète, il chronomètre, pour juger s'il a battu
un nouveau record dans ce qui est sa discipline
de prédilection, le meurtre en série. Les détenus
tremblent de peur à l'idée d'être malades, et donc
d'être confrontés aux scalpels et aux seringues du
Dr Heim. Les autres médecins, les Rascher, les
Clauberg, tout ignobles qu'ils fussent, cherchaient
au moins à sauver les vies de ceux qu'ils consi-
déraient comme plus humains que les autres ; le
Dr Heim, lui, veut juste tuer, voir, chronomètre
au poing, en combien de temps la mort engloutit
la vie. Comme, à l'université, il aimait bien la dissection (qui n'est pour un médecin qu'un moyen
pour apprendre, avant de soigner), il s'invente une
piste de recherches, qui n'est rien d'autre qu'un
alibi à son sadisme : combien de temps peut-on

survivre sans foie, sans reins, sans cœur, voilà le genre de questionnement sur lequel se penche le colosse cruel. Le Dr Tod ne pose son chronomètre que pour se munir d'un scalpel. Les victimes sont non seulement vivantes, mais parfois conscientes, le « Boucher » ne voyant pas l'intérêt de les anesthésier. C'est aussi, dit-il, un bon moyen de voir jusqu'à quel degré ils peuvent endurer la souffrance. L'étudiant qui aimait tant les TP de vivisection n'a pas oublié non plus ses cours de chirurgie de la mâchoire. Il en use sans parcimonie, car jamais il n'oublie de regarder dans la bouche des détenus pour voir l'état de leur denture. Pourquoi ? La réponse, sortie du contexte, est inimaginable, tant elle semble inhumaine. Si la dentition se révèle impeccable à l'examen, la victime est tuée par une injection. Puis Heim la décapite, fait « cuire » la tête dans le crématoire jusqu'au point où le crâne n'a plus de chair. Enfin, il prépare le crâne, qui termine en décoration de bureau pour lui et ses amis. Une technique qu'il aura sans doute apprise auprès de ses collègues de Buchenwald[1].

Les autres prisonniers, ceux dont la dentition est moins saine, ne sont pas oubliés. Le malade a droit à un interrogatoire détaillé sur ses antécédents familiaux, non médicaux comme il serait

---

1. Voir chapitre 14.

normal, mais financiers. En effet, il n'est pas impossible que le docteur ait eu des honoraires conséquents, volant, en plus de tout le reste, ses victimes, mais cela n'a pas été avéré. Quoi qu'il en soit, une fois l'examen dentaire terminé, il a pratiqué des opérations sur des gens en bonne santé, qui n'avaient besoin d'aucune intervention chirurgicale, arrivant à les convaincre par tout un tas de formules qu'ils ne subiraient qu'une opération bénigne, avec la promesse qu'une fois remis ils seraient libérés. La question de savoir si Heim était un homme de parole ne s'est jamais posée : en réalité, les opérations complexes qu'il réalisait, de l'estomac, du foie et du cœur, entraînaient la mort sans aucun doute.

S'il n'y a pas eu de survivants à de telles mutilations, des rescapés du camp ont pu témoigner, dont Karl Kaufmann, un ancien kapo, sous les ordres de Heim. Les faits qu'il évoque sont tellement horribles que je préfère lui laisser la parole :

Karl Kaufmann : À cette époque il y avait beaucoup de transports qui arrivaient à Mauthausen, parmi lesquels beaucoup de Juifs et d'autres nationalités. Le Dr Heim était le médecin du camp. Le principal travail qu'il y accomplissait consistait, trois ou quatre fois dans la semaine, à faire venir dans l'ambulance, après l'appel, 26 à 30 invalides pour le travail et à les tuer avec des injections d'essence dans la veine ou dans le cœur.

[...]

Nombreux étaient les détenus qui savaient que c'était la fin pour eux et opposaient de la résistance, mais ils étaient ramenés de force dans le bloc par les détenus plus âgés, qui ne sont plus en vie aujourd'hui, et enfermés dans une petite pièce, jusqu'à l'arrivée du Dr Heim qui les faisait venir les uns après les autres. Le même processus se répétait avec les détenus juifs. Ces pauvres camarades juifs savaient tous qu'ils ne quitteraient pas vivants cette pièce. Son collaborateur le plus proche était un détenu, un certain Franz Kollitsch, de Vienne, qui se trouvait au camp de Mauthausen en tant que criminel. Kollitsch lui aussi, au moment où la situation s'est inversée, a été liquidé par les autres détenus. Une fois, un dimanche, je ne me souviens plus de la date, alors que c'était le tour de 30 Juifs prévus pour être exécutés, il y avait parmi eux un Juif hollandais, environ 30-35 ans, qui était le septième. Le Dr Heim était près de son instrument, les bras croisés, dans l'ambulance, et me donna la consigne suivante : « Vous, Obermacher, jusqu'à présent, j'ai liquidé six personnes, maintenant faites votre office. » Je lui répondis que je ne ferais jamais une chose pareille, et qu'en tant que détenu je ne pouvais être contraint à le faire. Le Dr Heim me demanda ce que je ferais s'il me piquait dans le dos avec des ciseaux. Je lui répondis que, même dans ce cas, je ne pourrais pas le faire et lui expliquai qu'il y avait dans la chancellerie un ordre du chef de groupe, le Dr Pohl, où il est dit que les détenus ne peuvent être contraints à faire ce genre de choses. Tout ce temps, le Juif en question était couché sur la table d'opération. Le Dr Heim s'approcha de lui, le saisit par la nuque, le fit descendre de la table d'opération, l'amena vers le miroir qui se trouvait au mur : « Regarde la tronche que tu as, tu crois que le Führer a besoin de ça ? », puis il lui ordonna de se remettre sur la table d'opération. Le détenu se coucha en disant : « Allez-y, meurtrier de masse. » Le Dr Heim pâlit, se précipita sur le Juif et le frappa à coups de poing sur la poitrine et le visage. Ensuite, il lui administra l'injection mortelle.

Une fois, un dimanche, on amena dans l'ambulance un Juif tchèque de Prague, un autre détenu de Mauthausen, avec le symptôme d'une inflammation de la peau à la jambe gauche. Le Dr Heim lui dit qu'il allait l'opérer de cette inflammation. Le détenu dut se déshabiller, fut placé sur la table d'opération et le Dr Heim lui excisa, en pleine conscience de ce qu'il faisait, le ventre de haut en bas. Le détenu en question mourut rapidement et dans des douleurs atroces, parce que le Dr Heim lui avait enlevé une partie des intestins, un morceau du foie et un morceau de la rate. Savoir pourquoi le Dr Heim avait utilisé cette procédure pour ce détenu, personne d'entre nous n'a réussi à le savoir. En tout cas, le Dr Heim pratiquait ces opérations la mine souriante. Une fois, un vieux détenu juif vint dans la salle d'opération, un après-midi où le Dr Heim et moi-même étions présents. Cet homme de 70 ans dit à peu près ceci : « Monsieur le Obersturmführer, vous aimez opérer, regardez, je suis un vieil homme, j'ai peu de temps à vivre, opérez-moi, j'ai une grosse hernie. Je sais que je vais mourir dans quelques jours. » Le Dr Heim fut tout de suite d'accord, et nous l'avons opéré, mais pas sa hernie, parce que le Dr Heim fouilla dans toute la cavité du ventre pour observer le foie et la rate, puis après avoir ouvert le diaphragme la peau du ventre fut recousue. En tout cas le désir de ce pauvre détenu fut exaucé, car il sortit mort de la salle d'opération. Savoir combien de détenus le Dr Heim a tués par ses expériences et injections d'essence, je ne saurais le dire… en tout cas il n'y avait jamais d'exceptions. Les Juifs étaient liquidés sans distinction par l'âge et les autres nationalités aussi, mais, chez ces dernières, n'étaient liquidés que ceux qui étaient faibles et incapables de travailler.

En quelques terribles semaines de 1941, d'octobre à novembre, pas moins de 240 personnes ont été opérées. Sur le « livre des morts » de Mauthausen, leurs noms sont écrits. D'après les témoignages, certains manquent à l'appel, et cela ne tient pas à la négligence du Dr Tod : c'est que le rythme est frénétique, il y en a trop. Puis, à la fin de l'année, les pages se noircissent à un rythme plus régulier. Une épidémie, enfin, s'est arrêtée ? Non, le Dr Tod s'est envolé semer la peste en d'autres lieux, en l'occurrence d'abord au camp voisin, puis en Finlande, comme membre de la SS-Gebirgs-Division Nord. « La Mort » s'est cachée parmi les soldats.

À la Libération, les Alliés l'arrêtent. Toutefois, ce n'est pas le « Boucher de Mauthausen » qu'ils détiennent, mais un simple officier, parmi d'autres, si bien que, quelques semaines plus tard, il est libéré. Il se marie et s'installe comme gynécologue à Baden-Baden. Le couple convole heureux, amoureux, jusqu'à ce que la justice se réveille, s'apercevant du monstre qu'elle a laissé en liberté. Nous sommes en 1962, soit plus de vingt ans après les crimes. La justice est souvent représentée les yeux bandés, je me demande si, parfois, cela ne l'empêche pas de voir les criminels. Non seulement Aribert Heim n'est pas inquiété avant 1962, mais il parvient à s'enfuir malgré les procédures engagées contre lui. Néanmoins, il est contraint à l'exil, à vie.

À partir des années 1960, les rumeurs les plus rocambolesques font régulièrement la une des journaux à propos du criminel nazi le plus recherché au monde après Alois Brunner, l'un des artisans de la solution finale. Le monstre a été vu en Uruguay, au Chili, en Suisse et en Espagne. Pendant quelques années, Heim incarne le Mal absolu : celui que l'on devine à l'origine des drames, des tragédies, des catastrophes, mais que l'on n'attrape jamais... jusqu'en 2012. En 2009, le *New York Times* et la ZDF (*Zweites Deutsches Fernsehen*, la deuxième chaîne de télévision allemande) affirment avoir trouvé les preuves de la mort de Heim : installé au Caire, il se serait converti à l'islam et serait mort d'un cancer de l'intestin en 1992, sous le nom de Tarek Hussein Farid. Le *New York Times* met en ligne les papiers retrouvés dans la malle secrète de Tarek Hussein Farid. On y trouve des coupures de journaux, toutes consacrées au « Boucher de Mauthausen » et à sa traque, des documents concernant son dossier médical, un testament et une lettre d'« explications » qui met à l'abri la famille Heim et... récuse les accusations d'antisémitisme ! Il est vrai qu'il n'y a guère de place pour l'idéologie dans les actes du Dr Tod, qui aurait trucidé n'importe qui à coups de scalpel, mais cela n'a rien d'une excuse !

Heim est un monstre sadique, qui considère les détenus des camps comme des cobayes, encore que tout médecin normalement constitué n'oserait jamais faire subir ces traitements à une souris. Malgré les preuves qui s'accumulent, le centre Simon-Wiesenthal, consacré à la traque des anciens criminels nazis, reste dubitatif jusqu'à ce qu'en 2012 la justice allemande tranche : *Dr Tod ist tot*, le Dr Mort est mort.

7

« Volontaires ou pas,
les expériences auront lieu. »
August Hirt

Le visage rond. Les lèvres pincées, minces, le moins qu'on puisse dire c'est qu'August Hirt, le Pr Hirt, n'est pas très apprécié de ses collègues de la faculté de médecine de Strasbourg, où il exerce. Ils ont des raisons de lui en vouloir.

Hirt est un grand paranoïaque, et un fin observateur.

Il voit des ennemis partout. Des ennemis personnels, mais aussi des dangers pour la patrie.

Alors il épie, espionne et dénonce.

Il terrorise ceux avec qui il travaille.

Non seulement Hirt est un SS, un vrai, un dur, qui a gravi tous les échelons jusqu'à devenir Sturmbannführer, mais il est d'un racisme convaincu. Membre de l'Ahnenerbe[1], il est aussi une figure

---

1. Voir chapitre 5.

déterminante du RuSHA, un organisme chargé de contrôler la pureté idéologique et raciale de tous les membres de la SS et, notamment, de délivrer les attestations de pureté raciale et les permis de mariage aux membres de la SS.

Il est aussi reconnu comme étant l'un des grands spécialistes de l'ypérite, ce gaz moutarde utilisé pendant la Grande Guerre. À l'époque, son utilisation avait été une terrible surprise pour les Alliés. Même les masques de combat ne protégeaient pas les hommes.

Un simple contact avec la peau avait des effets désastreux. Au moment du contact, la victime ne ressent absolument rien. Puis en quelques heures apparaissent une rougeur et des sensations de brûlure. Deux à trois jours plus tard surviennent des vésicules, et la peau commence à se décoller.

Pourtant, ce n'est pas à Hirt que l'on fait appel pour essayer de trouver l'antidote qui obsède Himmler. Ce dernier est persuadé que les Alliés vont lancer la guerre chimique, qu'ils utiliseront les gaz de combat et que cela signifiera la fin du IIIe Reich.

Les forces allemandes ne sont pas préparées à ces attaques. Il s'en confie au Führer, sans succès : Hitler pense à son offensive à l'Est.

Himmler demande à Grawitz, grand patron de la médecine SS, de lui apporter des réponses.

Ce n'est pas Hirt, mais le Dr Sonntag qui est recommandé à Himmler. Lui aussi est un spécialiste des gaz de combat.

Sonntag fait ses expériences pendant trois semaines au camp de Sachsenhausen.

Des cobayes humains souffrent terriblement.

Aucun résultat. C'est un échec.

On conseille alors à Himmler un vieux Strasbourgeois, August Hirt.

L'Alsace-Lorraine étant annexée par l'Allemagne, la réputée faculté de médecine de Strasbourg est entièrement dévouée à la médecine nazie.

Pour Hirt, en soif de reconnaissance, comme nombre de ses confrères qui ont épousé la doctrine SS, le jour de gloire est arrivé. Il en sourirait jusqu'aux oreilles si une balle de la Première Guerre mondiale, en brisant sa mâchoire, ne l'empêchait de sourire pleinement. Qu'importe, il sait ce qu'il va dire à Himmler. Il a des résultats à présenter, en réalité des pistes : avant la guerre, il avait déjà testé des antidotes de l'ypérite. C'était sur des rats.

Quelques gouttes d'ypérite sur le dos des animaux entraînaient la mort en 24 à 48 heures.

Hirt avait essayé de les traiter préventivement avec de la vitamine A, avant de les empoisonner avec l'ypérite. Les rats traités avaient survécu plusieurs semaines et, surtout, lors des dissections, il avait remarqué que le foie des rongeurs présentait une forte concentration de vitamine A et une faible quantité de produit toxique.

Sur le papier, le principe « scientifique » est simple : il suffit de reproduire ces expériences sur l'homme et de pratiquer des autopsies en cas de décès.

Hirt a un protecteur, un homme dont les responsabilités sont considérables : Sievers est l'administrateur général de l'Ahnenerbe.

L'organisme scientifique, malgré sa mission messianique, trouver « la localisation, l'esprit, les caractères de la race indo-germanique et en communiquer au peuple les résultats sous une forme accessible », a un goût prononcé, et prudent, pour le mystère : Sievers (dont il s'est dit qu'il était agent double) ne souhaite pas que son nom soit impliqué trop directement dans ces expériences.

Il connaît Hirt, qui lui avait déjà envoyé en 1941 un long rapport sur *L'obtention de crânes de commissaires bolcheviques juifs, à l'intention de recherches scientifiques à l'université de Strasbourg.*

Il était persuadé qu'avec les mesures, photographies et autres données de la tête et du crâne, on pourrait prouver qu'il y a un lien avec la criminalité. Himmler en est également convaincu.

La partie est donc gagnée avant même de rencontrer le Reichsführer, le 24 avril 1942 : Himmler a lu les hypothèses d'Hirt et apprécie ce genre d'expérimentateur.

Envoyez-moi un rapport sur vos travaux anté-rieurs sur l'ypérite et nous veillerons à ce que vous ne rencontriez plus d'obstacles.

Hirt jubile.

Les expériences ont lieu au camp de Natzwiller-Struthof dès la fin 1942.

Pratique pour Hirt, ce camp est situé à quelques kilomètres de Strasbourg. Il est commandé par Josef Kramer.

C'était le lieu de villégiature des Strasbourgeois. On venait sur cette petite montagne se promener l'été et skier l'hiver.

Il y a même un hôtel situé deux cents mètres plus bas. Le Struthof.

Les côtes sont raides pour les détenus qui doivent transporter d'énormes pierres dans des brouettes. Henri Rassiet, rescapé, a raconté le calvaire que lui et les autres détenus ont subi :

Les détenus devaient avec leur chargement gravir la côte escarpée qui menait au camp. Pendant le trajet, le jeu favori des SS et des kapos était de les harceler avec des chiens dressés à mordre progressivement ! Sous-alimentés, malades, beaucoup mouraient d'épuisement avant d'atteindre le ravin où ils devaient déverser les pierres[1].

---

1. Les citations ici et suivantes du chapitre sont extraites de *Les Médecins de la mort*, Genève, Famot, 1975, tome 3, p. 202.

Quand les SS veulent vraiment s'amuser, ils précipitent les malheureux du haut de la falaise qu'ils ont péniblement atteint… juste pour entendre les cris et le bruit des corps s'écrasant vingt mètres plus bas.

Kramer n'a pas besoin d'être convaincu. Esprit étroit, très limité sur le plan intellectuel, Kramer est décrit comme un véritable sadique.

C'est au Struthof que Kramer et ses sbires s'acharnaient sur ceux que l'on appelait les détenus *Nacht und Nebel* (« Nuit et brouillard »), ceux qui avaient lutté clandestinement contre l'occupant nazi.

Aider le protégé d'Himmler est pour lui une sorte de reconnaissance.

C'est donc avec une certaine jubilation qu'il sélectionne les détenus qui serviront de cobayes.

Il les aligne devant l'infirmerie, procède à une nouvelle sélection et renvoie ceux qui paraissent trop faibles. Kramer est attentif, il faut que la « marchandise » plaise à Hirt.

Une fois la sélection définitive effectuée, les kapos font entrer les détenus dans une salle de « désinfection ».

On les plonge dans des bacs pour les débarrasser de tous les parasites.

Dans les bacs, du crésol. Ce bactéricide, que l'on trouve encore de nos jours, est tellement puissant qu'il est vendu pour désinfecter les boxes et vans transportant les chevaux. Morsures de chiens, blessures, coups, le corps de ces malheureux n'est que plaies. Le contact avec le désinfectant est atroce.

Ils hurlent, veulent sortir, sont frappés encore et encore.

Kramer plaisante avec ses SS : « Ces messieurs n'aiment pas se laver. »

Il ordonne qu'on les oblige à rester plus longtemps dans les bacs et surtout demande qu'on les fasse taire : « On ne s'entend plus avec ce vacarme. »

Les détenus sont ensuite dirigés vers l'infirmerie, où ils reçoivent un repas copieux. Ils sont médusés. Encore plus étonnant, promesse leur est faite qu'ils seront exemptés de corvée et seront bien nourris.

Les plus lucides savent que ces avantages ne présagent rien de bon.

Hirt arrive en début d'après-midi. Il ne garde qu'une trentaine d'hommes sur la soixantaine présentée par Kramer.

Les autres repartent dans leurs baraquements.

Hirt parle aux sélectionnés : *Vous serez soumis dans une quinzaine de jours à une série d'expériences médicales de courte durée. Je tiens à vous préciser que ces expériences ne revêtent aucune gravité exceptionnelle. Vous serez en outre sous contrôle médical constant. Aucune souffrance particulière n'en résultera.*

Hirt connaît parfaitement les effets irrémédiables de l'ypérite sur l'homme.

Il cherche à rassurer, mais aucun détenu ne le croit. Il n'en profite pas moins pour se hausser du col et montrer qu'il a des relations, demandant des volontaires en échange, dit-il, de l'assurance d'intervenir auprès du Reichsführer SS, Heinrich Himmler, pour obtenir leur libération. Aucune main ne se lève.

Qu'aurait changé un quelconque « volontariat », puisque de toute façon Hirt, cynique jusqu'au bout, le dit lui-même… : « Volontaires ou pas, les expériences auront lieu. »

Deux groupes de quinze sont formés par Kramer.

Ils sont répartis dans deux pièces différentes. Ils ont, pour la première fois, de la place pour dormir et seront bien nourris.

Jusqu'alors, le quotidien des détenus passait par les morsures des chiens, les coups donnés par les SS, ils se nourrissaient de vagues soupes d'épluchures de pommes de terre. Ce traitement de faveur, ils le savent, est le signe qu'il va leur arriver quelque chose. Ils s'attendent au pire.

Le pire survient deux semaines plus tard.

Hirt et son aide reviennent au camp. Les détenus défilent, nus, déclinent leur identité, tendent le bras sur lequel est déposée une goutte d'ypérite.

Une seule goutte. La goutte de la mort.

À quoi pouvaient penser ces hommes, « choyés » quelques jours auparavant ? Ils commençaient tout juste à retrouver, sinon la liberté, du moins un peu de force dans leurs corps décharnés et meurtris.

Connaissant la cruauté de leur bourreau, imaginaient-ils, après cette interminable attente, qu'on les avait choisis, sélectionnés, seulement pour leur déposer une goutte d'un produit inoffensif sur le bras ?

Ferdinand Holl, infirmier détenu, tenait le bras des cobayes. Il témoigne à Nuremberg.

Les hommes se débattent. Ils hurlent. Ils viennent de recevoir leur goutte d'ypérite.

Ordre leur est donné de rester une heure, debout, le bras tendu.

Rien ne se passe durant les heures qui suivent. J'imagine sans peine l'angoisse des détenus. Ils savent qu'ils vont souffrir. Ils le sentent. Une goutte d'un produit inconnu sur le bras. Ils doivent envisager le pire. Il est impossible qu'on leur fasse seulement un test sur la peau. Pourtant rien ne semble se passer. Pas un signe. Pas une douleur. Pas un picotement. Les muscles se détendent un peu, l'espoir renaît. Cependant, le poison progresse dans l'organisme des malheureux.

Hirt connaît le délai qui sépare le contact avec l'ypérite de l'apparition des premiers symptômes : six heures.

Il revient donc le soir avec un photographe qui l'accompagne tout au long de cette expérience, pour immortaliser la souffrance, parfois la mort. Voilà les preuves que Hirt entend exhiber pour montrer au monde scientifique que lui, Hirt, a raison : il a trouvé l'antidote.

Le bourreau se voit déjà en sauveur, le sauveur de centaines de milliers d'Allemands en cas d'attaque chimique.

Toutefois, doté d'un tempérament prudent jusqu'à la paranoïa, il ne manque pas de récupérer les pellicules lui-même. Il n'a pas confiance.

Dans le *revier*, l'infirmerie, six heures après le dépôt de la goutte d'ypérite, les premiers symptômes apparaissent.

Des brûlures envahissent le bras. Les cobayes comprennent que ce n'est que le début.

Hirt est sur tous les fronts : il applique des pommades, des crèmes, fait avaler des médicaments, pratique des injections intraveineuses et teste ses préparations.

Bien sûr, il n'oublie pas que, pour comparer, pour être irréprochable scientifiquement, il faut laisser un groupe sans soins.

Toute la nuit les détenus souffrent, crient, supplient.

Le lendemain, pour certains, c'est tout le corps qui est le siège de brûlures.

L'ypérite continue son travail. Hirt continue le sien.

Des centaines de photos fixent sur pellicule la progression inéluctable du poison.

En quelques jours, les hommes deviennent méconnaissables.

Les plaies déforment le corps. Partout. En commençant par les bras, les mains.

Ferdinand Holl se souvient : *Ils souffraient tellement qu'il était presque impossible de rester près d'eux.*

Au sixième jour, première délivrance, premier décès.

Dès le lendemain, Hirt veut pratiquer l'autopsie, gourmand de savoir quels organes ont souffert, lesquels ont été protégés par les traitements.

Il fait transporter le corps par deux brancardiers polonais et échange avec son assistant. Ils parlent en allemand, sans se douter que les Polonais le comprennent.

Le lendemain, tout le Struthof est au courant. Hirt n'est pas chirurgien, ni médecin légiste.

Il a besoin d'aide pour pratiquer l'autopsie.

Ce sera Bogaert, un chirurgien belge, détenu lui aussi.

Chaque organe prélevé est placé dans un bocal.

Chaque bocal est transporté à l'Institut d'hygiène pathologique de l'Ahnenerbe.

Ce qu'il reste du cadavre est brûlé dans le four crématoire.

Et le photographe continue son sale boulot. Hirt confie les pellicules à un jeune Français qui travaille à ses côtés à la faculté de Strasbourg, Charles Schmidt.

Indigné par ce qu'il découvre, le jeune homme se confie à ses collègues français. Hirt l'apprend et menace.

Les jours passent. Les détenus ne peuvent plus se lever.

Deux d'entre eux deviennent aveugles.

Huit meurent.

Hirt commence d'autres séries de tests. Cette fois, cent vingt cobayes russes et polonais ont été désignés, quarante sont morts.

Les survivants sont transférés vers une destination inconnue. Aucun n'a été retrouvé.

Quant aux morts, tous sont disséqués.

Hirt demande à Schmidt de réaliser des coupes très fines des organes prélevés.

Il peut maintenant écrire le rapport tant attendu par Himmler.

C'est l'œuvre de sa vie. Il le rédige avec une minutie scientifique qui ne fait qu'augmenter l'admiration du lecteur non averti.

Tout est détaillé.

Le traitement à mettre en place pour un cas de moyenne gravité.

Le rôle des vitamines.

Les pansements.

Les comprimés.

Il fait même preuve d'empathie. Enfin, d'une empathie toute relative… quand il écrit : *Il ne faut pas laisser la pommade à l'huile de foie de morue de Lexer en place plus de deux heures à cause de la douleur.*

Il se fait même psychiatre. Il suggère que, dans les cas sérieux, il faut pratiquer « une psychothérapie systématique vigoureuse »… même la psychothérapie doit être solide…

Il précise : *En raison de la possibilité d'influencer de cette façon le système parasympathique (circulation et système circulatoire), le traitement psychologique des malades rendus très apathiques par l'ypérite constitue une partie essentielle du traitement.*

Himmler est impressionné par la qualité du rapport, d'autant qu'Hitler en est dorénavant convaincu : il faut se préparer à la guerre chimique…, résultat de l'intoxication par les services secrets russes. Une psychose incontrôlable s'est répandue dans les rangs de l'armée allemande.

Hirt devient ainsi une figure de proue de la médecine du IIIe Reich.

Karl Brandt, le médecin personnel d'Hitler, mandaté spécialement par le Führer, rencontre Hirt à Strasbourg.

Que se disent-ils ? L'histoire ne nous l'apprend pas, car les préconisations d'Hirt ne sont pas mises en pratique. En effet, quelques mois après l'entrevue, les Alliés ont libéré Strasbourg. Ils n'ont pas trouvé Hirt, qui a fui avant leur arrivée, *in extremis*. Le docteur se terre en Forêt-Noire, non loin de Tübingen. Il se suicide en juin 1945, laissant derrière lui, outre l'horreur du souvenir, une macabre et tristement célèbre collection...

8

« Des crânes de commissaires juifs bolcheviques » ou la collection de Strasbourg

Hirt n'était pas seulement un expert des gaz de combat, il s'intéressait aussi à l'anatomie et à l'anthropologie, l'anthropologie des « races ».

Un de ses rêves est de créer son propre musée de l'Homme, un musée dans lequel le visiteur pourrait observer non pas les différences anatomiques entre les préhumains et les humains, mais les caractéristiques des « sous-humains ». Pour ce faire, il lui faut des squelettes, des crânes de ceux qu'il considère comme ne faisant pas vraiment partie de l'espèce humaine : les Juifs.

La guerre va lui donner l'occasion de réaliser son rêve.

Convaincre Himmler ? Une formalité.

Dans une lettre-rapport adressée à son intermédiaire favori, Sievers, il explique :

Il existe d'importantes collections de crânes de presque toutes les races, et peuples. Cependant il n'existe que très peu de spécimens de crânes de la race juive permettant une étude et des conclusions précises. La guerre à l'Est nous fournit une occasion de remédier à cette absence. Nous avons l'occasion d'obtenir des preuves scientifiques et tangibles, en nous procurant des crânes de commissaires juifs bolcheviques qui personnifient une humanité inférieure, répugnante, mais caractéristique.

Le meilleur moyen d'obtenir rapidement cette collection de crânes sans difficultés consisterait à donner des instructions pour qu'à l'avenir la Wehrmacht remette vivants à la police du front tous les commissaires bolcheviques juifs. [...] Un jeune médecin devra prendre une série de photographies et des mesures anthropologiques.

Après la mort de ces Juifs, dont on aura pris soin de ne pas endommager la tête, il séparera la tête du tronc, et l'adressera à son point de destination dans un liquide conservateur.

Le style est froidement descriptif et précis, du moins selon les critères nazis.

Himmler, enthousiasmé par le projet, donne son feu vert. Cependant, l'administration n'étant, même en temps de guerre, et même dans le IIIe Reich, pas toujours aussi rapide que les neurones des tortionnaires, il faut quelques relances pour que, enfin, Hirt puisse démarrer sa collection.

Personne ou presque n'émet la moindre réserve face à ce projet effroyable. Il faut dire qu'Hirt est respecté. Il a notamment mis au point un microscope qui, grâce à la fluorescence, permet d'observer les tissus vivants.

Le plus pratique pour Hirt, c'est que les victimes soient tuées à Natzwiller. Ils arriveront « frais » à la faculté de Strasbourg, où les corps pourront être préparés sur-le-champ.

Pour obtenir de beaux spécimens, Hirt se fournit à Auschwitz.

Le 15 juin 1943, la sélection est terminée.

Sievers écrit qu'ils ont travaillé sur 150 personnes, dont 79 Juifs, 2 Polonais, 4 Asiatiques, et 30 Juives.

Au final, 86 détenus sont transférés d'Auschwitz à Natzwiller.

C'est là que les attend le sinistre commandant du camp, Josef Kramer.

Il a reçu des mains d'Hirt une bouteille d'un quart de litre de ce qu'il pense être des sels de cyanure.

La première « fournée » comprend quinze femmes. Un soir d'août 1943, elles sont conduites dans la chambre à gaz du Struthof.

Kramer a décrit la scène : *Après avoir fermé la porte, je plaçai une certaine quantité de sel dans un entonnoir placé au-dessus de la fenêtre d'observation par laquelle j'observai ce qui se passait dans l'intérieur de la chambre. Ces femmes continuèrent de respirer pendant une demi-minute, et tombèrent sur le plancher.[...] Je dis à des infirmiers SS de mettre ces corps sur une camionnette et de les transporter le matin suivant à cinq heures et demie à l'Institut d'anatomie (de Strasbourg).*

En deux ou trois fois, Kramer exécute de la sorte des dizaines de détenus.

Au procès de Nuremberg, il avoue : *Je n'ai ressenti aucune émotion en accomplissant ces actes, car j'avais reçu l'ordre d'exécuter ces quatre-vingt-six détenus de la façon que je vous ai exposée ; de toute façon, j'ai été élevé ainsi.*

Les cadavres arrivent encore chauds à l'Institut d'anatomie de Strasbourg.

Ils sont réceptionnés par un citoyen français, Henri Henrypierre, qui travaillait comme préparateur dans le laboratoire d'Hirt après avoir été arrêté et interné à Compiègne. Son témoignage lors du procès de Nuremberg a donné un éclairage essentiel sur la collection voulue par Hirt.

En juillet 1943, quelques jours avant l'exécution des détenus, on lui intime l'ordre de préparer des cuves pour recevoir des cadavres.

Il y met de l'alcool synthétique à 55 degrés.

Le premier convoi arrive à sept heures du matin. Ce sont des cadavres de femmes.

Henrypierre rapporte : *À leur arrivée ils étaient encore chauds. Les yeux étaient grands ouverts et brillants. Ils semblaient congestionnés et rouges, et sortaient de l'orbite. Il y avait des traces de sang au niveau du nez et de la bouche. Et des matières fécales. Il n'y avait pas de rigidité cadavérique.*

Je notai les séries de chiffres que ces femmes portaient sur l'avant-bras gauche.

Je les écrivis sur une feuille de papier que j'ai gardée chez moi. Les numéros étaient constitués de cinq chiffres.

Plusieurs convois se succèdent. Tous regorgent de cadavres, dans le même état que les premiers.

Hirt prévient Henrypierre : « Si tu ne tiens pas ta langue, tu y passeras aussi. »

Placés dans les cuves, les corps y restent un an sans que personne ait le droit d'y toucher.

Le 5 septembre 1944, devant l'avancée des Alliés, Sievers envoie un télégraphe à Karl Brandt. Il demande des ordres, inquiet à l'idée que ces cadavres puissent tomber dans des mains indésirables :

En raison du travail scientifique considérable nécessaire, la préparation des squelettes n'est pas encore terminée. Hirt demande ce qu'il faut faire [...] au cas où Strasbourg serait en danger. Il peut les mettre à macérer, et les rendre ainsi méconnaissables.

Mais dans ce cas, une partie de l'ensemble du travail aurait été faite en vain, et ce serait une grande perte scientifique pour cette collection unique car les moulages ne seraient plus possibles.

Sievers, pour sauver cette collection, imagine même que, si les Alliés trouvent les cadavres dans les cuves, on puisse dire que ce sont des restes humains que les Français avaient laissés là en quittant précipitamment la faculté.

Finalement, Henrypierre et ses collègues reçoivent l'ordre de découper les 86 corps et de les faire brûler au four crématoire de la ville de Strasbourg.

Manque de temps, d'énergie, les corps ne sont pas tous réduits en cendres. Quelques-uns subsistent dans le fond des cuves. Avec les restes de ceux qui avaient été partiellement démembrés.

Quand les Alliés découvrent l'horreur du laboratoire d'anatomie, ils photographient les cadavres, les cuves.

Le préparateur aide les photographes. Les cadavres sont identifiés. Sans Henrypierre, ces corps n'auraient peut-être ni histoire, ni nom : aujourd'hui, au cimetière israélite de Cronenbourg, le passant peut se recueillir ou juste saluer, d'Akouni à Wollinski, la mémoire de ces hommes et de ces femmes *massacrés au nom de la « science nazie »*.

9

Retour à Strasbourg

Quand j'ai appris qu'Hirt avait dû fuir Strasbourg en abandonnant derrière lui les cadavres de sa collection, des dizaines de questions m'ont traversé l'esprit. Les cuves dans lesquelles les corps ont été conservés existaient-elles encore ? Les têtes, les bras, les jambes ? Tous ces morceaux d'êtres humains étaient-ils encore visibles quelque part ? Avaient-ils été détruits ? Quand ? Pourquoi ? Par qui ?

Il faut que je sache. À qui demander ? Je ne connais personne à Strasbourg.

Le doyen de la faculté est la première personne à qui j'envoie un mail. Je suis persuadé qu'il ne manquera pas de me répondre.

Effectivement, son mail arrive très vite. Il me conseille de prendre contact avec le patron de l'Institut d'anatomie, le Pr Jean-Luc Kahn. Toutefois il me met en garde, en me précisant que « c'est un sujet sensible ».

Sensible ? Vu l'horreur des faits, le terme semble un peu faible, mais il est vrai que le temps et notre époque, en particulier, aiment édulcorer.

Si j'imagine bien que le passé de cette faculté sous l'Occupation n'est pas la première chose qui est mise en avant quand on la dirige, je sens qu'il y a autre chose. Mon intuition ne tarde pas à être confirmée.

Avant même que je l'appelle, le Pr Kahn, prévenu de mes démarches par le doyen, m'envoie un mail me suggérant d'entrer en contact avec un autre professeur, historien de la faculté.

De mon côté, j'ai pris l'initiative de joindre un autre médecin, qui s'est battu des décennies pour l'existence d'une plaque commémorative en souvenir de Menachem Taffel, l'une des victimes d'Hirt identifiée grâce au numéro tatoué sur son bras.

Voici ce qu'il m'écrit.

Il existe probablement encore des coupes anatomiques constituées à l'époque nazie, malgré les dénégations des responsables de l'Institut. Il existe un rapport d'autopsie « historique » des 17 cadavres entiers et des 166 morceaux de cadavres découverts le 1ᵉʳ décembre 44 dans les cuves de l'Institut d'anatomie normale, qui date de 46. Je peux le mettre à votre disposition.

Il resterait donc des coupes de morceaux de corps, d'organes de ces malheureux qu'Hirt voulait exposer dans un musée des « races disparues » !

Comment est-ce possible ? Pourquoi personne n'a-t-il cherché à remettre ces restes aux familles ?

Pourquoi n'ont-ils pas été enterrés lors d'une cérémonie officielle, près d'une stèle pour rappeler ce qui s'est passé ?

De plus en plus de questions fusent dans mon esprit.

Parvient une réponse. Elle provient du Dr Uzi Bonstein. Ce médecin est arrivé en France à la fin des années 1960. Féru d'anatomie, il est vite devenu assistant à l'Institut de Strasbourg.

Il me dit qu'un médecin de l'époque lui a fait un jour visiter l'Institut. Il s'est arrêté devant une armoire. Il en a ouvert les portes et demandé à Uzi de regarder.

Devant les yeux du jeune médecin, des bocaux.

Dans chaque bocal, une main, une bouche, un nez... et une étiquette : *Juden* en lettres gothiques. Les caractères ne laissent aucun doute sur l'origine et la date à laquelle ces étiquettes ont été écrites.

Choqué par ce qu'il voit, Uzi a enfoui ces images au plus profond de sa mémoire, après en avoir parlé à sa femme.

Quarante ans plus tard, alors qu'il a quitté Strasbourg depuis longtemps... Uzi se rappelle.

Une sorte de réminiscence et d'appel : ces bocaux, il faut qu'il comprenne, et qu'il en parle.

Il appelle la faculté de médecine et demande un rendez-vous avec le Pr Kahn. Il veut voir.

« Voir quoi ? », lui répond le chef de service. « Il n'y a rien ! » L'homme est formel et un tantinet condescendant : il n'y a ni coupes datant de la période nazie, ni bocaux, ni étiquettes.

Naturellement, Uzi Bonstein est invité à constater par lui-même.

On demande même au Pr Sirk, le médecin qui lui avait ouvert les portes de l'armoire, de venir accompagner cette visite.

Rien.

Uzi ne voit plus rien.

On lui ouvre tout le service.

Il retrouve l'armoire. Vide.

« Vous voyez », dit le Pr Kahn. Il se tourne vers le Pr Sirk : « Pouvez-vous jurer sur l'honneur que vous n'avez jamais ouvert une armoire contenant des restes humains dans des bocaux devant le Dr Bonstein ? »

« Je jure sur l'honneur. »

L'affaire est close.

Uzi Bonstein avait donc rêvé ce moment.

Il tente de se convaincre, d'y croire, mais ne peut s'empêcher de douter. Au détour d'une conversation, sa femme lui confirme qu'il lui avait bien parlé de ces bocaux à l'époque.

Je décide de me rendre à Strasbourg. Je demande à rencontrer le Pr Kahn et parviens à obtenir une visite exceptionnelle de cet Institut qui n'ouvre au public qu'une fois par an.

Me voici face à une magnifique bâtisse, l'hôpital de Strasbourg. Situé en plein centre de la vieille ville, on y sent dès le seuil le poids de l'histoire. On est très loin des établissements modernes, de ces facultés sans âme mais dont la modernité est indispensable aux étudiants.

Le Pr Kahn m'a donné rendez-vous dans son bureau de l'Institut d'anatomie.

Le magnifique escalier vient d'être repeint. Là aussi, les lieux sont superbes.

Pourtant, je ressens un malaise... pourquoi ce rouge carmin souligné de traits noirs ?

Le malaise passe lorsque je me convaincs que l'association est stupide.

Personne ne peut imaginer que celui qui a choisi ces couleurs, ici, où se sont déroulés des faits aussi douloureux, l'a fait en pensant aux couleurs du drapeau du IIIe Reich, aux couleurs portées sur les brassards des médecins SS qui venaient rendre visite à Hirt.

Le Pr Kahn commence la visite de son Institut... Je ne peux m'empêcher de lui faire part de mon malaise et, comme souvent, j'essaie de détendre l'atmosphère en mettant un brin d'humour.

Ma tentative se révèle infructueuse, car le professeur, au lieu de sourire, semble brutalement prendre conscience de l'incongruité de ce choix de couleurs proposé par un architecte d'intérieur.

« Vous avez raison, mais je n'y avais jamais pensé », me dit-il manifestement troublé en regardant son bel escalier.

Il m'en reparle plusieurs fois lors de notre visite… Je m'en veux un peu car je me dis que, dorénavant, il ne montera plus jamais son escalier d'apparat de la même façon.

L'Institut d'anatomie est composé d'un musée qui n'ouvre au public que lors des journées du Patrimoine, de salles pour les étudiants et, dans les sous-sols, de pièces dans lesquelles se trouvent les cuves qui contiennent encore des corps donnés à la science et dans lesquelles Hirt conservait précédemment ceux qui devaient constituer sa collection.

Toutes les vitrines, toutes les armoires me sont montrées, me sont ouvertes.

Il y a des pièces incroyables, fascinantes pour le médecin que je suis. Ces membres, ces crânes, ces coupes de thorax, de bassins, ce sont des trésors, mêmes ces bocaux contenant ceux que la médecine fœtale appelle des « monstres ».

Des fœtus sans cerveau, sans yeux, des siamois à deux têtes et un seul corps.

Des bocaux que le public ne voit pas. On le comprend.

Pendant ce temps, mon guide explique : « Toutes ces pièces anatomiques, me dit mon hôte, sont datées, répertoriées. Elles sont, pour 99 % de l'ensemble des pièces anatomiques du musée, antérieures à 1918. Même si la collection s'enrichit régulièrement, il n'y a rien datant de la période nazie. »

Comment ne pas penser qu'Hirt et ses collègues ont ajouté des pièces anatomiques pendant les trois ans passés à l'Institut ? Le Pr Kahn me dit qu'il ne le croit pas, qu'ils avaient d'autres préoccupations.

Le Pr Kahn me fait entrer dans un amphithéâtre. Je frissonne : il s'agit probablement de l'amphithéâtre dans lequel le Pr Hirt donnait des cours d'anatomie. Aujourd'hui s'y succèdent des étudiants, des étudiants qui ne savent pas, qui ne connaissent pas l'histoire du lieu.

Le Pr Kahn le regrette et me dit avec franchise que, s'il y a quelques années, il donnait encore un véritable cours d'histoire, parlant d'Hirt aux étudiants dès leur premier cours d'anatomie, la pression est devenue telle, la charge de travail si difficile, qu'il ne se sent plus le courage d'accabler les novices en leur racontant les horreurs qui se sont déroulées au sous-sol de ce bâtiment.

Ce sous-sol, le Pr Kahn m'y mène en empruntant un ascenseur. Nous prenons place dans une vieille cabine, assez longue pour qu'un corps puisse y entrer allongé. Claustrophobes et âmes sensibles s'abstenir : c'est par là que sont transportés les corps donnés à la science et qui vont servir aux étudiants. C'est par cet ascenseur aussi que 86 suppliciés ont dû passer en arrivant du Struthof. C'est cet ascenseur qu'empruntait Hirt pour rejoindre les cuves, à l'abri des regards.

Même le Pr Kahn, plutôt affable et détendu jusqu'alors, devient plus grave en m'ouvrant les portes des deux salles exiguës.

Il fait beau ce jour-là. La lumière entre par de petites fenêtres et éclaire de grandes cuves carrelées, comme les imposants congélateurs qui s'ouvrent par le dessus.

C'est là.

C'est là que les Alliés ont trouvé les corps, un invraisemblable enchevêtrement de corps, de membres... tous ceux que les SS n'avaient pas pu brûler avant de partir précipitamment. S'il y avait les corps, il n'y avait aucune de leurs 86 têtes.

Je me sens soudain transporté en 43, j'imagine les corps des déportés plongés dans un bain d'alcool. Il y a aussi des corps devant moi dans une cuve. Ils sont destinés à l'enseignement. Un bain de liquide, une couverture, un pied qui dépasse…

L'atmosphère est lourde. Nous quittons ce lieu où la mort règne.

Après cette descente aux enfers, de retour dans son bureau, je demande au Pr Kahn ce que sont devenus les corps, les membres retrouvés dans ces cuves. Où est l'armoire dont parlait le Dr Bonstein ?

« Il n'y a plus rien », me jure-t-il.

Il se souvient très bien du Dr Bonstein, de sa visite, de leur entretien.

« Non seulement il n'y a plus rien, mais pourquoi voudriez-vous que nous gardions, ou cachions, des choses aussi horribles qui ne feraient que réveiller un douloureux passé ? »

Il me dit qu'après le rapport d'autopsie des médecins à la Libération, les corps, les membres, tout ce qui a été retrouvé à l'Institut a été enterré dans le carré juif au cimetière de Cronenbourg, comme l'atteste la plaque commémorative en bas du bâtiment et dont je ne peux m'empêcher de remarquer qu'elle ne date que de 2005.

Le Pr Kahn ne peut le jurer, car il n'était pas là, mais tous ses prédécesseurs lui ont assuré qu'il n'y avait plus aucune trace des méfaits d'Hirt dans l'Institut. De l'horreur, de la honte, il ne reste plus rien, rien d'autre que la mémoire des victimes de ces actes ignobles, le « Souvenez-vous d'elles pour que jamais la médecine ne soit dévoyée » auquel invite la plaque commémorative de l'entrée.

Ah, si ! il reste le rouge et le noir de l'escalier.

Hippocrate aux enfers est sorti en librairie le 14 janvier 2015. Deux semaines plus tard, Alain Beretz, président de l'université de Strasbourg, convoque une conférence de presse pour réagir aux deux chapitres consacrés au Dr Hirt et à l'Institut d'anatomie.

« Affirmer qu'auraient subsisté, ou pourraient subsister, des restes de victimes juives à l'Université ou à l'Institut, comme l'affirme Michel Cymes, est faux et archi-faux. C'est faux depuis 1945. » Il qualifie alors mes propos de rumeurs, de faits avancés sans preuve.

Cette conférence déclenche une polémique, relayée par la presse régionale et par tous les quotidiens et magazines nationaux français.

Six mois plus tard, le 9 juillet 2015, Raphaël Toledano, chercheur, auteur d'une thèse sur les 86 déportés sacrifiés, se fait ouvrir une petite salle à l'Institut de médecine légale de Strasbourg. Il y découvre des flacons contenant des morceaux de peau, et le contenu d'un estomac et d'intestins. Les restes d'un dernier repas. Les étiquettes ne laissent aucun doute.

Il s'agit bien, pour certains de ces fragments, des restes de Menachem Taffel.

L'un des 86.

L'inhumation a lieu, lors d'une cérémonie, le 6 septembre 2015 au cimetière de Cronenbourg.

La salle dans laquelle se trouvaient ces restes appartient bien à l'université de Strasbourg.

10

« Il n'avait pas l'air d'un assassin. »
Josef Mengele

Il est bel homme, distingué, parfumé. Féru de musique classique, il n'est pas du genre à sortir son revolver quand il entend le mot « culture ». On l'imagine volontiers, seul face à son miroir, sifflotant du Wagner dans le crépuscule du matin, avant de sortir rasé de près, précédé d'une discrète odeur d'eau de Cologne. Toujours impeccable, il arbore une attitude si digne qu'elle semblerait presque hautaine : bref, il est le gendre idéal façon IIIe Reich avec uniforme et bottes cirées. Ah, ses bottes ! Rien ne l'irrite autant que de voir des plaques de boue les salir, mais il est prévoyant : il a toujours une autre paire disponible, à proximité, portée par un sbire.

Heureusement, là, sur la *Judenrampe*, pas de terre, pas de boue.

Il y a bien un peu de poussière, mais son esprit est ailleurs.

Il doit, comme souvent, se concentrer sur l'arrivée du convoi.

Celui-ci déverse sur le quai des centaines de déportés, hébétés, affamés, assoiffés, apeurés. Parmi eux sans doute, un jour, un de mes grands-pères.

Le beau docteur est aussi un bon chasseur. Josef Mengele, « Beppo[1] » comme l'appellent ses proches, observe attentivement ceux qu'il considère comme des sous-hommes qui ne font, à chaque nouveau convoi, que confirmer ce dont il est persuadé : tout n'est qu'hérédité. Tout ce que nous sommes est porté par nos gènes (l'ADN n'a pas encore été découvert). Rien ne peut influencer notre personnalité, notre psychisme, puisque tout est inné. Alors pourquoi s'encombrer de remords, de scrupules face à ces Juifs qui, de toute façon, n'ont pas d'avenir au sein de l'humanité qu'il désire ?

Omnipotent sur une voie d'aiguillage poussiéreuse, l'Ange de la mort désigne, un bref coup d'œil, suivi d'un mouvement de la cravache dont il ne se sépare jamais. *Links, Rechts, Links, Rechts*, « à gauche », « à droite », des survivants ont abondamment décrit ce docteur si élégant, si incongru dans le décor de désolation d'Auschwitz,

1. « Beppo » est le surnom de Giuseppe (Josef) en Italie. On appelait parfois ainsi Mengele.

au physique d'*acteur d'Hollywood, comme Clark Gable*, qui n'*avait vraiment pas l'air d'un assassin*[1].

D'un côté, les vieux, les malades, les enfants attendent en tremblant ; de l'autre, ceux qui pourront travailler et aider l'Allemagne dans son économie de guerre. Tous se regardent, échangent, de part et d'autre, des messages d'adieux. Quand certains osent supplier, quémander la clémence, il jubile ou part dans une de ses rages mémorables, selon son humeur. Les plus chanceux ont droit à des coups de cravache, les autres à une balle de revolver. Une fois, c'est tout le convoi qui est envoyé à la chambre à gaz, en guise de punition collective, parce qu'une mère a essayé de mordre le SS qui la séparait de ses filles.

Une fois les files faites, celle de gauche s'en va vers les chambres à gaz, celle de droite vers les blocs et l'enfer.

À Auschwitz, le nom du Dr Mengele ne se prononçait pas, il se chuchotait.

Il terrorise. La sélection bien sûr, mais aussi ses coups de colère, et surtout ses « recherches ». Dans *La Nuit*[2], Élie Wiesel évoque sa rencontre avec le terrible docteur :

---

1. Sauf précision, les citations de ce chapitre sont extraites de Robert Jay Lifton, *Les Médecins nazis. Le meurtre médical et la psychologie du génocide*, Paris, Robert Laffont, 1986.
2. Paris, Éditions de Minuit, 1958.

Le silence soudain s'appesantit. Un officier SS était entré et, avec lui, l'odeur de l'ange de la mort. Nos regards s'accrochaient à ses lèvres charnues. Du milieu de la baraque, il nous harangua :

— Vous vous trouvez dans un camp de concentration. À Auschwitz...

Une pause. Il observait l'effet qu'avaient produit ses paroles. Son visage est resté dans ma mémoire jusqu'à aujourd'hui. Un homme grand, la trentaine, le crime inscrit sur son front et dans ses pupilles. Il nous dévisageait comme une bande de chiens lépreux s'accrochant à la vie.

— Souvenez-vous-en, poursuivit-il. Souvenez-vous-en toujours, gravez-le dans votre mémoire. Vous êtes à Auschwitz. Et Auschwitz n'est pas une maison de convalescence. C'est un camp de concentration. Ici, vous devez travailler. Sinon, vous irez droit à la cheminée. Au crématoire. Travailler ou le crématoire – le choix est entre vos mains.

Et lui, Josef Mengele, quels sont les choix qui l'ont conduit à devenir une créature de cauchemar ?

Rien dans son hérédité ou ses jeunes années ne semblait le déterminer à en faire un monstre, à être « la façade trompeuse des fours crématoires », comme l'a dit un rescapé. Josef Mengele, né dans une famille riche de la petite ville de Günzburg, suit des études de philosophie. Fasciné par Hitler lors d'un de ses meetings, comme tant d'autres il se laisse séduire par le national-socialisme, oublie la carrière philosophique et tourne son ambition vers la médecine. Il brûle de participer à la sauvegarde de la race aryenne, cette nouvelle race des élus, car sa supériorité est inscrite dans ses gènes.

Il ne sait pas comment faire, mais un homme va l'aider à mieux comprendre le rôle que Mengele s'imagine jouer. Il devient, à l'Institut de biologie de l'hérédité et d'hygiène raciale, l'assistant d'un grand maître de l'eugénisme allemand, à la renommée mondiale, le Pr Otmar von Verschuer.

En 1937, cet eugéniste parlait d'« hygiène sociale pratique qui visait à limiter la reproduction de ceux qui sont héréditairement malades et de peu de valeur ».

L'élève a bien écouté les leçons de son mentor, car c'est ce précepte qu'applique Mengele lors de ses sélections sur la *Judenrampe*… ne pas s'encombrer de ceux qui « ont si peu de valeur »…

Von Verschuer qui, après la guerre, a précautionneusement détruit toute sa correspondance avec Mengele, a juré ne rien savoir de ce qui se passait à Auschwitz. C'est pourtant lui qui a œuvré pour que Mengele obtienne pour ses recherches non seulement l'aval d'Himmler, mais le soutien financier de la *Deutsche Forschungsgemeinschaft* (Fondation allemande pour la recherche). À Auschwitz, les prisonniers en charge du courrier ont affirmé que des rapports destinés à l'Institut de biologie raciale de Berlin, dirigé par Verschuer, ont été envoyés très régulièrement. Si le maître a renié son disciple, il lui a pourtant transmis sa passion, la passion des jumeaux.

La gémellité, sur le plan scientifique de l'époque, apparaît comme le modèle idéal pour prouver la toute-puissance de l'hérédité. Que rêver de mieux que des êtres humains strictement identiques sur le plan génétique (du moins pour les vrais jumeaux), qui présentent donc les mêmes caractéristiques physiques et psychologiques ?

Qui plus est, dans une perspective démographique, si Mengele parvient à trouver le « secret » de la gémellité, l'Allemagne dominera le monde deux fois plus vite ! Une blessure gagnée sur le front de l'Est et l'intervention de ses relations valent à Mengele d'arriver à Auschwitz en mai 1943, avec la Croix de fer et le rêve insensé de percer le mystère de la gémellité, mais, pour réaliser son rêve, il faut s'occuper de la réalité : d'abord assistant du Dr Klein, puis médecin-chef, Mengele a pour tâche principale de trier les nouveaux arrivants. Il fait son travail, « comme un chien de chasse », a dit de lui un rescapé, débusquant jusqu'au dernier ceux destinés à la mort immédiate. Nuit et jour, on le voit sur la rampe, une conscience professionnelle répugnante. Pourquoi autant d'ardeur à l'ouvrage ? Le quotidien n'est pas toujours intéressant, parfois pourtant des moments de joie pour le docteur, lorsque arrive une famille de nains (une autre de ses abominables marottes) ou des jumeaux, qui, en plus de leur matricule et de leur étoile, ont droit à un nouveau galon, « ZW », pour « Zwilling », jumeau en allemand. En effet, le beau docteur a l'esprit d'un collectionneur.

Un jour, il aperçoit, descendant d'un convoi, un homme bossu avec son fils porteur d'une infirmité à un pied. Il se met en tête d'envoyer leurs squelettes au musée anthropologique de Berlin : il les fait exécuter d'une balle, bouillir dans deux barriques, puis emballer et expédier.

Une fois le tri effectué, pour ceux qui ont franchi la *Judenrampe*, la peur de l'Ange de la mort n'est pas pour autant éloignée. À l'infirmerie, la menace rôde. Le médecin continue d'appliquer à la lettre les consignes : ne pas encombrer le camp avec des déportés inutiles. Il faut aussi éviter que les malades ne saturent le *revier*. À quoi bon soigner des malades qui, de toute façon, finiront gazés ? Alors Mengele va aussi faire sa sélection au lit des malades.

Quand il entre, c'est la panique, tout le monde sait que, d'un seul geste de la main, le pouce qui indique la gauche ou la droite, et c'est la mort. On se redresse, on se rougit les joues artificiellement avec ce que l'on trouve, on essaie de tenir, quelques minutes, le temps d'un regard de Dieu...

Mengele parle peu, il toise de son terrible regard, ses « yeux morts », ses « yeux sauvages », comme dirent des rescapés. Certains se souviennent de son odeur, ce parfum d'eau de Cologne, de son obsession de la propreté, de ses absences (« Il parlait avec le Diable ») et de sa cruauté. De nouveau, il fait des files : gauche, droite... tout le monde sait que la gauche c'est l'aller simple pour la chambre à gaz... mais Mengele est joueur... alors parfois à la fin de la sélection, alors que tous ceux désignés dans la file de gauche voient leur fin arriver, il décide que cette fois... ce sera la droite ! Tyrannique, il s'autorise tout mais ne tolère rien, reprochant toujours aux autres médecins (le plus souvent eux aussi prisonniers) leur inefficacité. L'un d'eux raconte à propos de Mengele que *voir les longues files d'attente de prisonniers le rendait furieux et il prenait la seringue pour montrer aux membres du SDG ou aux prisonniers chargés d'injecter le phénol comment faire plus vite*. Sans un mot, il injecte, rapide comme une abeille.

Parmi les condamnées, les femmes enceintes. Celles qui l'étaient au moment de leur arrivée ont déjà été gazées : deux Juifs supprimés d'un coup, quelle aubaine !

Quant à celles qui découvraient leur grossesse dans le camp, il y avait deux hypothèses. Deux « chances », selon une règle édictée par Mengele.

La première qui les condamnait : l'enfant naissait vivant. Les deux étaient gazés.

La deuxième sauvait... la mère : l'enfant naissait mort-né.

Les déportées comprennent vite que, pour sauver les mères, il faut sacrifier l'enfant.

Dès qu'une femme enceinte commençait à avoir des contractions, elle était cachée et accouchait, protégée par les autres détenues. Le nouveau-né immédiatement tué. La mère était, pour cette fois, épargnée.

Les déportées qui ont participé à cette horrible mise en scène ont souvent témoigné pour dire qu'elles ne s'en étaient jamais remises. Le docteur lui, hormis ses colères jupitériennes, semble prendre plaisir à son travail, s'y épanouit et s'en soucie, comme lorsqu'il craint des cas de typhus dans le camp.

Pour quel incapable passerait-il auprès d'Himmler si une épidémie entraînait une hécatombe dans cette main-d'œuvre gratuite ? Il sait que la maladie fait des ravages et qu'elle inquiète particulièrement les SS. Une dizaine de femmes arrivent au *revier* avec les mêmes symptômes. Il s'avère qu'il s'agit de la scarlatine. Mengele l'apprend. La nuit suivante, 1 500 femmes susceptibles d'avoir contracté la maladie sont exécutées. Le mal a été éradiqué à la racine.

Une façon radicale d'enrayer un début d'épidémie ! Mengele est sans état d'âme, son esprit est ailleurs : il cherche frénétiquement, urgemment, sentant que le IIIe Reich ne va pas durer mille ans, n'importe comment.

Qu'arrive-t-il aux jumeaux ? Une fois sélectionnés, ils sont envoyés dans un bloc spécial où le docteur « élève » ses sujets, des nains, des jumeaux, des individus porteurs de malformations en tout genre. Ils bénéficient d'un régime de faveur, sont mieux nourris, ont le droit de garder leurs cheveux… jusqu'à ce que les « expériences » commencent. Deux sœurs, parmi les rares survivants de ceux tombés aux mains du docteur, ont raconté ce qui se passait dans le bloc :

C'était comme un laboratoire. D'abord, ils nous pesèrent, puis ils mesurèrent et comparèrent. Il n'y eut pas une partie du corps qui ne fut mesurée et comparée… Ils voulaient tout savoir en détail.

Les deux femmes insistent sur le fait que Mengele tenait à effectuer la plus grande partie des opérations lui-même, méticuleusement, maniaquement, voulant que tout soit « net, net, net »,

126

malgré les quantités aberrantes de sang préle-
vées sur les jumelles, pour nourrir l'appétit de
savoir de ce Nosferatu en blouse blanche. Elles
se souviennent qu'à la fin, elles étaient tellement
exsangues que les prises de sang ne donnaient
plus rien.

Tziganes, jumeaux, nains… tout est noté, des-
siné, archivé, classé, en vain : le beau docteur n'est
pas un chercheur. Il ne trouve rien. Le secret de
la gémellité lui échappe toujours.

Il faut aller plus loin.

Ce qu'il ne trouve pas en observant les pauvres
cobayes, il le découvrira peut-être en analysant
leurs organes.

Et pour ça il faut autopsier, disséquer et donc…
tuer.

Mengele pourtant n'est pas capable d'autopsier tout seul : il confie la tâche à un prisonnier,
le Dr Miklos Nyiszli, qui rapporte, parmi tant
d'autres scènes d'horreur :

*Dans la salle de travail à côté de la salle de
dissection attendaient en pleurant quatorze
jumeaux gitans, gardés par des SS (aux alentours
de minuit). Le Dr Mengele, sans dire un mot, pré-
para une seringue de 10 cc et une autre de 5 cc.
D'une boîte, il tira de l'évipan et d'une autre, du
chloroforme dans des récipients en verre de 2 cc,
et les posa sur la table d'opération. Après quoi,
le premier jumeau fut introduit… une fillette de*

quatorze ans. Le Dr Mengele m'ordonna de déshabiller la fillette et de la mettre sur la table de dissection. Il lui injecta alors de l'évipan dans le bras droit par intraveineuse. Quand la fillette se fut endormie, il chercha le ventricule gauche du cœur et y injecta 10 cc de chloroforme. La fillette eut une légère contraction et mourut, sur quoi Mengele l'envoya à la morgue. Les quatorze jumeaux furent tous tués de la même façon pendant la nuit.

Mengele passe des heures dans la salle de dissection. Il cherche encore et toujours, ne manque jamais d'idées, comme de nourrir des bactéries avec de la chair humaine fraîche, ou bien d'observer ce qui se passe exactement dans les deux corps de jumeaux mourant en même temps. Le Dr Nyiszli, qui reçoit les cadavres des jumeaux par paires, est d'abord étonné : *Il arrive ici une chose unique dans l'histoire des sciences médicales du monde entier : deux frères jumeaux meurent ensemble en même temps.*

Avant de vite comprendre : un jour ce sont deux garçonnets de deux ans qui sont amenés sur un brancard recouvert d'un drap. Lors de l'autopsie, le médecin remarque un trou dans le cœur des enfants. Il comprend. Mengele, de sa propre main, exécutait les jumeaux d'une injection de chloroforme dans le cœur.

Je ne peux pas imaginer un homme, la seringue à la main, enfoncer une aiguille dans la poitrine d'un enfant de deux ans qui le regarde.

Les jumeaux ne sont malheureusement pas les seuls sujets de recherche du docteur. Les nains, par exemple, en font aussi partie. Pour Mengele, il est évident que les troubles de la croissance ne pouvaient qu'être le reflet d'anomalies génétiques héréditaires véhiculées par les races inférieures.

Comme les jumeaux, les nains sont choyés, autant que faire se peut dans un camp de concentration. Bien logés, bien nourris. Baraque 14 du camp des hommes. Ils ont le droit de garder leurs cheveux. Parmi eux, la famille Ovitz, une famille de musiciens de talent, qui comptait sept nains. Mengele leur prélève des échantillons de moelle, de sang, de dents, de chair, de cheveux, leur demande de défiler nus lors d'une visite de dignitaires et de lui interpréter ses airs préférés. Miraculeusement, ils ont survécu.

Il s'intéresse aussi à une autre maladie qui se développe quand les conditions d'hygiène sont très mauvaises, le noma. Il s'agit d'une affection terrible qui défigure les enfants et les adolescents en quelques semaines. Un trou béant en plein visage. La peau, les muscles, les lèvres, les mâchoires... tout est littéralement grignoté progressivement jusqu'à la mort. À Auschwitz, les Tziganes sont les plus touchés. Pour Mengele, ce n'est pas un hasard, mais la marque d'un déterminisme génétique et aussi de la syphilis, dont il est persuadé que les Gitans sont tous peu ou prou atteints.

La couleur des yeux l'intrigue. Les yeux bleus, les yeux aryens, pourquoi sont-ils si rares ? Il sélectionne une trentaine d'enfants aux cheveux blonds et aux yeux marron et leur injecte du bleu de méthylène, pour voir... Les résultats, voire les preuves, sont communiqués à Berlin, à l'Institut de biologie raciale de Verschuer. Un assistant du docteur se souvient d'avoir eu pour ordre d'enlever leurs yeux à huit petits Gitans aux yeux hétérochromes puis d'envoyer dans des bocaux les paires à l'institut de Berlin. Comme l'un d'eux survit au traitement, il échappe à la mutilation, jusqu'à ce que Mengele s'en aperçoive et hurle après son assistant : « Vous ne m'avez donné que sept paires d'yeux, il manque deux yeux », il faut qu'ils soient « envoyés aujourd'hui même ».

Le chasseur reste bredouille. Tous ses dossiers, ses piles de rapports, ses bocaux et ses échantillons sont stockés dans une salle de Birkenau dont l'accès est férocement interdit. Ils sont destinés à la science, à la grande *thèse d'habilitation* que Mengele entend soutenir, quand il aura trouvé, mais il ne trouve rien. Lorsque les Soviétiques libèrent le camp, ils ne trouvent pas davantage. Le mausolée est vide : la plupart des documents se trouvent à l'institut de Berlin, qui ne tarde pas à faire disparaître ces archives compromettantes. Mengele, lui aussi, a disparu : le chasseur est parti en dissimulant ses traces.

11

« Je n'ai rien fait de mal. »
À la poursuite de Josef Mengele

Santa Rosa, Rio Grande do Sul. Il faut être
amoureux de football, comme moi, pour avoir
déjà entendu le nom : c'est dans cette ville fron-
talière du Brésil qu'est né Claudio Taffarel, le
mythique gardien de but qui valut au Brésil une
victoire mémorable lors de la coupe du monde de
1994. C'est aussi la cachette dans laquelle s'est tapi
pendant des années Josef Mengele.

À la frontière avec le Paraguay et l'Argentine, la
région est enfouie sous la jungle de la forêt ama-
zonienne, dense, exubérante, étouffant tout d'une
couverture vivace et verdoyante, depuis les trafics
en tout genre, de drogue notamment, les secrets de
criminels en fuite, en passant par des espèces d'in-
sectes et d'animaux féroces, à l'apparence féerique
ou répugnante. Parmi les raretés de la province, il
faut aussi compter un monstre bien humain, Josef

Mengele. Le Rio Grande do Sul fut la dernière retraite du médecin d'Auschwitz. Havre de paix pour tout criminel, elle possédait en outre une allure de paradis perdu pour Mengele, car elle rassemblait une forte communauté allemande, ainsi que – mais cela ne tient peut-être pas uniquement au hasard, j'y reviendrai – la plus grande concentration de jumeaux au monde.

Avant d'atteindre ce jardin d'Éden, Mengele a évité les enfers et parié sa tête avec le diable plus d'une fois. Quelques jours à peine avant que l'Armée rouge ne vienne libérer le camp d'Auschwitz en janvier 1945, le docteur a fui, laissant derrière lui peu de documentation, mais près de huit cents cobayes humains sur lesquels il avait commencé sans les achever des expériences, et dont à peine quatre-vingts atteignirent le printemps. Leur bourreau, lui, est parvenu à rejoindre sa Bavière natale sans trop de difficulté. Ironie du sort, lorsque débute à Nuremberg le procès des médecins nazis, l'Ange de la mort vit tranquillement avec femme et enfant, dans un chalet, à une centaine de kilomètres de là, à peine deux heures de route aujourd'hui. La famille de Mengele, puissante dans la région, a bonne réputation, chacun a soif d'un retour à la normale, les horreurs des expérimentations ne sont pas encore vraiment connues, si bien que nul ne songerait à venir inquiéter le docteur. En outre, la vie de Mengele est marquée par deux caractéristiques, la fascination pour les jumeaux et une chance inexpliquée. Cette ordure a une veine extraordinaire, et renouvelée, de quoi désespérer ou au moins méditer. Tous les SS ont tatoué au bras leur groupe sanguin, ce qui les rend identifiables, Mengele est vierge de tout signe distinctif et ne porte aucun stigmate de son passé. Veut-on un autre exemple ? Alors que le Bureau des crimes de guerre est chargé de mener une enquête contre lui, celle-ci est laissée en suspens par l'arrestation d'Otmar von Verschuer, un des professeurs de Mengele qui, à l'époque, passait pour plus important que son disciple. Aujourd'hui, nous savons que les expériences de Mengele étaient autrement plus criminelles que les lubies de Verschuer. Sans en avoir connaissance, la justice a lâché la proie pour l'ombre. Ce ne sera pas la dernière fois : à chaque situation critique, « Beppo » s'en tire *in extremis*, par un coup de théâtre à peine croyable. S'il échappe aux procès de Nuremberg dans l'immédiat après-guerre, il en va de même dans les années 1960 : lorsque les services secrets israéliens sont à deux doigts de l'arrêter, Mengele est parti quelques jours plus tôt. Ce monstre a la baraka.

Parfois pourtant il se décèle l'ombre d'un remords, ou la crainte d'être découvert, comme lorsqu'il rend visite à un couple d'amis dont l'homme, Albert Müller, était un camarade d'études. La scène, telle qu'elle est racontée par Gerald Astor, le principal biographe de Mengele[1], se passe à Donauworth, en Bavière, en plein procès, à quatre-vingts kilomètres de Nuremberg. Frau Müller s'est levée pour ouvrir la porte :

Bonjour, Dr Mengele, lui ai-je dit, et il a semblé surpris de mon salut. Il a ensuite discuté avec mon mari et lui a affirmé : « Tout ce que tu entendras à mon sujet ne sont que mensonges. N'en crois pas un seul mot. Je n'ai rien fait de mal. »

J'ignore si son camarade fut dupe, de même que la conscience de Mengele (qu'est-ce que cela voulait dire pour lui, le mal ?), mais il semble incroyable qu'un des principaux acteurs du nazisme puisse aller et venir sans être inquiété dans la région même où se tient le procès ! Heureusement, le chaos de la guerre s'estompant, il devient de plus en plus difficile pour le docteur de vivre impunément en Allemagne. En 1949 finalement, il est contraint à l'exil. Pour ce fer de lance de la « race aryenne », c'est sans doute un crève-cœur, mais pas pour longtemps.

Après quelques péripéties romaines, et l'aide d'Alois Hudal, recteur de l'église allemande au Vatican, un tout nouveau Helmut Gregor débarque à Buenos Aires, le 20 juin 1949, après

---

1. Gerald Astor, *The Last Nazi. Life and Times of Dr. Josef Mengele*, New York, Donald I. Fine, 1985.

Les accusés du procès des médecins à Nuremberg

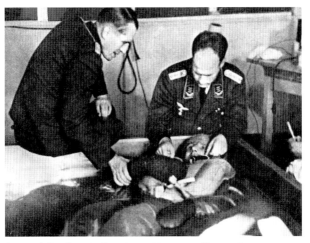

Sigmund Rascher (à droite) expérimentant l'immersion dans de l'eau glacée

Wilhelm Beiglböck

Konrad Schäfer

Heinrich Himmler

Wolfram Sievers

Un prisonnier dans un caisson spécial perdant connaissance

Aribert Heim

August Hirt

Vue de profil d'une tête coupée trouvée à Buchenwald

Cuves de l'Institut d'anatomie de Strasbourg

En mémoire
des 86 victimes juives assassinées en 1943 au Struthof
par August Hirt, professeur à la *Reichsuniversität* nazie de Strasbourg.

Leurs dépouilles reposent au cimetière israélite de Cronenbourg.
La Faculté de Médecine française de Strasbourg annexé était repliée à Clermont-Ferrand.

Souvenez-vous d'elles

pour que jamais plus la médecine ne soit dévoyée.

Plaque commémorative dévoilée le 11 décembre 2005 par

Jean-Paul FAUGERE - *Préfet de la région Alsace, Préfet du Bas-Rhin.*
Fabienne KELLER - *Présidente du Conseil d'Administration des Hôpitaux Universitaires de Strasbourg, Sénateur / Maire de Strasbourg.*
Gérald CHAIX - *Recteur de l'Académie de Strasbourg, Chancelier des Universités d'Alsace.*

en présence de : Bernard CARRIERE - *Président de l'Université Louis Pasteur de Strasbourg.*
Bertrand LUDES - *Doyen de la Faculté de Médecine de Strasbourg.*
Paul CASTEL - *Directeur Général des Hôpitaux Universitaires de Strasbourg.*
Jean KAHN - *Président du Consistoire Central Israélite de France.*

Plaque commémorative de l'Institut d'anatomie de Strasbourg

Josef Mengele

Carl Clauberg

Portrait de groupe de la famille Ovitz

Herta Oberheuser

Erwin Ding-Schuler

Waldemar Hoven

Arthur Dietzsch

Personnel médical américain dans un service de typhus pour
les survivants de Dachau

Bocaux contenant des organes humains prélevés sur des prisonniers
à Buchenwald

un voyage tranquille à bord du *North King*. Taille moyenne, visage rond approfondi par des yeux inquiets, doté d'une mâchoire étrange, ce Gregor ressemble à Mengele comme un jumeau. Ce n'est pas le métier des douaniers de faire ce genre de rapprochement, surtout dans l'Argentine de Perón. Le régime du général affiche une neutralité de façade, mais n'a jamais fait de problèmes pour accueillir les capitaux et les anciens « dignitaires » nazis. Mengele est loin d'être un cas isolé. Lorsqu'il débarque, la ville abrite déjà d'illustres réfugiés : entre Eduard Roschmann, le « boucher de Riga » et Erich Priebke, responsable du massacre des fosses Ardéatines, Helmut Gregor est bien entouré. Pour compléter l'équipe des croix gammées, Eichmann arrive un an plus tard.

Il ne fait que 16 degrés en moyenne en juin à Buenos Aires et l'humidité est encore supportable (tous les guides touristiques vous le diront, c'est la meilleure période pour visiter la ville), pourtant Helmut Gregor est en sueur. Dans un port que j'imagine regorgeant de mouettes, de vie et de bruits, d'odeurs, les douaniers s'interrogent sur le contenu des bagages de celui que ses papiers désignent comme un « mécanicien technique » : une mallette de notes et des échantillons biologiques, certains contenant du sang humain. Ils posent peut-être des questions, mais Mengele ne les comprend sans doute pas et ne peut que baragouiner trois mots en espagnol. Son avenir est suspendu à leur décision : lui qui, à Auschwitz, prenait plaisir à choisir avec soin ses cobayes et ceux qui seraient directement envoyés à la mort se retrouve pour une fois en position de victime. Les douaniers scrutent, marmonnent. Le passeport 100.501 délivré par la Croix-Rouge internationale est en règle. D'un signe de la main les douaniers l'invitent à avancer. Soupir de soulagement et claquement de talons, une nouvelle vie s'ouvre pour l'Ange de la mort.

Celle-ci ne tarde pas à être mondaine. Après quelques mois dans un hôtel sordide, Gregor s'installe chez les Malbranc, un couple d'Allemands richissimes. Lui est à la tête du Banco Alemán Transatlántico et bénéficiaire des fonds nazis transférés en Argentine durant la guerre. Grâce à eux, Mengele fait la connaissance de tout le gotha nazi installé dans la région. Grâce à eux sans doute, Helmut Gregor est parvenu à ouvrir un commerce de jeux éducatifs pour enfants tout en tissant sa toile, en inventant son univers, un univers où il sera de nouveau le Dr Mengele. Sa passion ne l'a pas quitté. Il n'oublie pas non plus sa famille restée en Allemagne, dont son fils Rolf, qu'il n'a quasiment pas connu. Médecin dans l'âme, s'il ne peut exercer, il prodigue ses conseils, et pas seulement à ses voisins mais aussi dans les hautes sphères industrielles locales, dont l'entreprise pharmaceutique Wonder et peut-être même plus haut. Ce témoignage rapporté par le journaliste Tomás Eloy Martínez à propos du président Perón est proprement étourdissant :

Un matin, en septembre 1970, Perón me parla avec enthousiasme d'un spécialiste en génétique qui, durant son second mandat, venait souvent le voir dans la résidence présidentielle d'Olivos, le distrayant avec le récit de ses merveilleuses découvertes. « Un jour, ajouta Perón, l'homme a pris congé car un éleveur paraguayen l'avait engagé pour améliorer son cheptel. On allait le payer une fortune. Il m'avait montré les photos d'une étable qu'il possédait dans le coin, près de Tigre, où toutes les vaches mettaient bas des jumeaux. » Je lui demandai le nom de ce magicien. Perón hocha la tête : « Je ne me souviens pas très bien. C'était un de ces Bavarois de bonne prestance, cultivés, fiers de leur patrie. Attendez… si je ne me trompe pas, il s'appelait Gregor. Oui, c'est ça, le Dr Gregor[1]. »

La mémoire est souvent capricieuse et je me garderai bien de prendre pour argent comptant les paroles du dirigeant argentin, toutefois force est de constater qu'en 1954 Mengele obtient des papiers en bonne et due forme, qui lui permettent

---

1. Tomás Eloy Martínez, *Le Roman de Perón*, Paris, Robert Laffont, 1998.

de voyager, en Suisse notamment, où il fait la connaissance de son fils et séduit la femme de son frère, mort depuis peu. Si l'anecdote révèle que Mengele n'était guère moins ignoble dans la vie privée que dans la vie publique, elle possède un intérêt d'une envergure plus grande. Bientôt officiellement divorcé de sa femme Irene, il épouse à Nueva Helvecia (Uruguay), le 25 juillet 1956, Martha María Will et, pour la première fois, signe tous les papiers de son vrai nom. Josef Mengele est de retour et devient actionnaire du laboratoire Fadro Farm en 1958, spécialisé alors dans la fabrication de médicaments contre la tuberculose. Le jour, Mengele II s'en tient à une vie d'honnête mari, qui ménage ses horaires, aime un peu trop le chocolat et passe aux yeux de tous pour un bienfaiteur médiocre, qui aide, avec mesure, à l'éradication d'une maladie encore létale. La nuit, il en va tout autrement : Mengele se transforme en héros de l'ombre, qui soulage le désespoir de certaines femmes, en leur permettant d'avorter : une noble cause, mais en demi-teinte, car si cet épisode de la vie de Mengele est connu, c'est grâce à la police, chargée d'enquêter sur la mort d'une jeune fille, à la suite d'une opération perpétrée par le docteur, qui manifestement a quelque peu perdu la main. En effet, depuis 1958, Mengele ne peut légalement plus exercer la médecine car son diplôme a été annulé par le conseil académique de l'université de Francfort. Si Mengele se tire de cette affaire moyennant quelques gros billets à un policier corrompu, là-bas, en Allemagne, la justice est en marche. Un comité international de rescapés d'Auschwitz l'accuse formellement de génocide. Le comité, n'ayant d'abord pour seules armes que la patience et le courage nécessaire pour révéler les atrocités vues ou subies, parvient à obtenir une demande d'extradition. Si Mengele n'a que faire des accusations de génocide, en revanche il conteste officiellement la décision de l'ordre des médecins le privant de son doctorat. Ce qui est une marque d'arrogance et également une preuve de réalisme : en effet Mengele a de bonnes raisons de croire que l'accusation n'ira jamais jusqu'en Amérique du Sud.

Il ne se trompe pas. Les salauds aussi ont une bonne étoile. Mengele a deux anges gardiens. Le premier est l'administration locale qui procrastine diaboliquement le dossier jusqu'à mettre plus d'un an à fournir la moindre fiche administrative, laissant ainsi à Mengele le temps de faire ses valises et de quitter l'Argentine sans laisser de trace.

Le second s'appelle Eichmann. Eichmann, l'administrateur de la Solution finale à l'origine de l'extermination de 6 millions de personnes, a suivi le même chemin que Mengele : le passeport Croix-Rouge internationale, la seconde classe sur un cargo italien, l'arrivée discrète en Argentine, la vie irréelle au sein du gotha nazi vieillissant, les conversations et les rêves monstrueux d'un IVe Reich, les rencontres qui ressemblent de plus en plus à un club de retraités. Eichmann et Mengele ont un autre point commun, les services secrets israéliens qui sont à leurs trousses. Six agents se sont patiemment infiltrés depuis 1960, épient, écoutent, rassemblent des informations mais ne doivent pas oublier l'ordre des priorités de leur mission : d'abord capturer Eichmann, puis Mengele. Si la traque d'Eichmann se révèle être un succès, elle manque de discrétion. Trop vite sue, elle a laissé le temps à la communauté nazie de s'organiser : d'ancien capitaine en veuve de général en passant par quelques militaires locaux en exercice et corrompus, Mengele a obtenu un nouveau passeport et une nouvelle identité. Tandis que Josef Mengele s'est une fois de plus volatilisé, Alfredo Mayen s'est installé dans une mignonne bourgade aux accents germaniques, Hohenau, Paraguay.

Majoritairement peuplée de colons venus de Dresde et de la Saxe à la fin du XIXe siècle, la région a des allures de petite Allemagne : les noms des rues sont écrits en gothique, le drapeau de la RFA flotte au fronton de nombre de demeures, publiques ou privées, la langue la plus parlée est celle de Goethe, les fêtes célébrées sont les mêmes qu'à Francfort et, comme dans toutes les communautés constituées d'expatriés et de leurs descendants, les sentiments nationaux sont exacerbés. Bref, il y a tout pour offrir à Josef Mengele, qui a été naturalisé sans difficulté, une retraite paisible. Pourtant, le tortionnaire d'Auschwitz n'est pas heureux. Voici comment le décrit le maire d'Hohenau :

Bien sûr que oui ! J'ai connu le Dr Mengele vers 1960, quand il commençait à travailler pour Alban Krug. J'ai eu le plaisir d'être son voisin pendant des années. Il se faisait appeler « Dr Fischer » ; c'était un monsieur très distingué, toujours bien habillé, noble d'allure. Quand un individu ou un animal tombaient malades, il se précipitait pour les soigner. Je me souviens de lui assis dans la véranda et jouant de la viole ; il chantait en allemand des chansons de sa patrie. Il chantait et il pleurait, se rappelant sa terre natale[1].

D'où vient la mélancolie d'Alfredo Mayen ? Se souvient-il avec nostalgie des musiciens du camp d'Auschwitz à qui il demandait spécifiquement d'exécuter leurs airs pendant qu'il choisissait ses victimes et que les autres allaient être exécutés ? Peut-être sent-il le poids du temps qui passe et l'avenir qui devient incertain pour son grand œuvre qui attend toujours, là dans les mallettes

---

1. Jorge Camarasa, *Le Mystère Mengele. Sur les traces de l'Ange de la mort en Amérique latine*, Paris, Robert Laffont, 2008.

qui le suivent depuis Auschwitz. Craint-il que ses découvertes (car il est bien persuadé d'avoir fait des découvertes) ne servent à rien et ne tombent dans l'oubli, comme lui, avec lui, dans un coin reculé de l'Amérique du Sud ? En tout cas, il ne regrette pas ses actes, son journal, qu'il a tenu durant tout son exil, l'atteste. À propos d'Albert Speer, l'ex-ministre de l'Armement, il écrit en 1973 : *Il s'abaisse, il manifeste du remords, c'est regrettable.*

À cinquante ans, surtout dans la bonne condition physique dont jouit Mengele, il n'est pas encore trop tard et le docteur reprend vite du service. À partir de 1963, il multiplie les excursions de l'autre côté de la frontière, au Brésil, dans la zone agricole de Cândido Godói. Là, sous le pseudonyme de Rudolf Weiss, vétérinaire, il inspecte les troupeaux et vend à prix d'or des vaccins contre la tuberculose aux propriétaires peu scrupuleux. S'étant ainsi assuré de leur manque d'honnêteté, il leur parle aussi des traitements miraculeux dont il détient le secret : non seulement il sait pratiquer les inséminations artificielles, mais il est également à même de multiplier le cheptel en accroissant le nombre de naissances gémellaires. Aux plus intimes, aux plus crédules, il confie que ses talents ne se limitent pas aux bêtes. De fait, il se passe depuis quelque temps à Cândido

Godói des événements fantastiques, dignes d'un film de John Carpenter. Les naissances gémellaires se multiplient tellement qu'elles atteignent 33 % des naissances, alors que la norme est de 2 %. Mengele est-il venu pour observer le phénomène ou y a-t-il participé ?

Ce qui est sûr, c'est que les jumeaux ayant tendance à leur tour à engendrer des jumeaux, la ville peut se targuer de détenir le record et créer la seule et unique fête des jumeaux au monde. Récemment des chercheurs de l'université de Nantes se sont penchés sur le problème, sans parvenir à une explication satisfaisante. Les habitants du village préfèrent raconter qu'il s'agit de l'eau qui aurait des propriétés miraculeuses, dont la seule avérée est d'avoir drainé des touristes jusqu'à une terre si lointaine et isolée, venus observer ce *Village des damnés*. Personne n'ose y voir l'œuvre de Mengele. Quand son nom est évoqué, c'est pour dire qu'il serait venu à Cândido Godói justement pour observer le phénomène. C'est la version officielle, qui n'est pas impossible. Mengele, lui, a emporté ses secrets dans les eaux, celles de la petite station balnéaire de Bertioga : victime d'une crise cardiaque durant une baignade, il meurt noyé en 1979 et disparaît, pour la dernière fois.

12

« La démographie négative »
Carl Clauberg

Petit, trapu, coiffé d'un chapeau tyrolien et doté d'un fort accent bavarois… Du moins dans sa façon de s'habiller, Carl Clauberg est un homme étrange. Son apparence est tout en rondeur, en bonhomie, en *Gemütlichkeit*, cet amour de la convivialité et du confort que l'on dit spécifiquement allemand, et pourtant, il inquiète : avec son visage sphérique, son crâne cabossé où les cheveux, fins, sont rares, ses lèvres minces et son double menton, le Dr Clauberg ressemble à un vieux nourrisson. C'est un homme méritant, à l'air soucieux, que la vie n'a pas gâté. Issu d'un milieu modeste, il a servi dans l'infanterie durant la Première Guerre mondiale, a connu la boue et la boucherie de la Der des Ders, avant d'entamer des études de médecine plutôt brillantes. Où commence le mimétisme ? Les nourrissons l'inspirent et le miracle de la naissance le passionne : ils sont nombreux à naître par ses mains expertes à la clinique de St Hedwig. Alors que ses études lui auraient permis de prétendre à une spécialité plus « noble », le Dr Clauberg choisit l'obstétrique, domaine dans lequel il est, dès la fin des années 1930, reconnu, quoique peu apprécié, en raison de son caractère déplaisant et, il faut bien le dire, de sa physionomie repoussante.

Avec une grosse tête sur un petit corps, surnommé « Rase-mottes » par les déportés, Clauberg a tout de Mr Hyde sans le Dr Jekyll. Du haut de son mètre cinquante, il est décrit, dans les rapports cliniques des procès de Nuremberg, comme une *personnalité profondément dysharmonique, faite d'un assemblage hétéroclite de supériorités intellectuelles, de graves travers caractériels et d'anomalies organiques. La haute conception qu'il a de lui-même, sa nature foncièrement déraisonnable, discordante et destructrice, et son état de surexcitation habituel, en font un être insociable et dangereux*[1]. Il n'en a pas moins été médecin-chef de la clinique des femmes en Haute-Silésie pendant plusieurs années.

---

1. Sauf mention contraire, les citations de ce chapitre sont extraites des traductions de François Bayle, *Croix gammée contre caducée*, *op. cit.*

Intelligent à l'excès et doté de l'orgueil à vif des laids, le Dr Clauberg entend trouver la solution pour toutes les bonnes Aryennes qui n'arrivent pas à concevoir des enfants. Lui qui a consacré une partie de sa carrière professionnelle à donner la vie entend bien passer au stade supérieur : sauver la race. Qui plus est, Clauberg ne serait pas mécontent de s'attirer les faveurs d'Himmler, dont l'admiration maladive pour la science est connue.

Il va en avoir l'occasion, mais il n'est pas le seul.

Sur 10 millions de Juifs en Europe, il y a au moins 2 à 3 millions d'hommes et de femmes capables de travailler. Considérant les difficultés extraordinaires que le problème du travail soulève, je suis d'avis que ces 2 à 3 millions soient spécialement choisis et préservés. Ceci ne peut cependant être réalisé que s'ils sont en même temps rendus incapables de procréer.

Cette lettre destinée à Himmler est écrite par un expert, un spécialiste de la « démographie négative », Viktor Brack. L'homme est l'ancien chauffeur d'Himmler, qui l'écoute, lui trouvant la bonté et le bon sens des humbles, et le courage aussi : par souci d'humanité, Viktor Brack a aidé sa femme à mourir, en la tuant de ses propres mains. Il a le sens de l'économie : en assassinant les mutilés de la Grande Guerre, quelques retraités et plus de 70 000 handicapés (crime de masse pudiquement nommé le Programme d'Aktion T4), il a fait économiser au Reich une abondance de primes de guerre et de pensions de retraite ainsi que libéré un grand nombre de lits d'hôpitaux. Il aura naturellement un rôle de premier plan dans la solution finale, en proposant de réintégrer le personnel de l'Aktion T4 pour participer au génocide. Champion de la destruction de masse des inutiles, Brack reçoit tous les honneurs du Reich, et devient SS-Oberführer. Le problème qui agite la matière grise des vestes noires, c'est qu'avec toutes les conquêtes du Reich, les « inutiles » sont de plus en plus nombreux, trop nombreux pour que même un Viktor Brack puisse les anéantir. La demande est trop grande pour l'offre. Malheureusement, la solution du problème est longuement expliquée dès *Mein Kampf*, qui proposait la stérilisation des malades mentaux et des handicapés. Il suffit juste de l'étendre : en stérilisant ces nouveaux « sous-hommes », il est possible à la fois de les faire travailler, participer à l'effort de guerre, avant de les laisser paisiblement mourir d'épuisement, de froid ou de faim, sans avoir à redouter qu'ils ne pullulent comme la peste au Moyen Âge. Une solution qui n'est pas « finale », mais qui a le mérite de résoudre plusieurs inconvénients, le manque de main-d'œuvre et l'excédent d'hommes et de femmes à faire disparaître avant l'avènement de l'Empire aryen. Reste à trouver comment stériliser en masse et à peu de frais. Le marché public est ouvert : que le meilleur, spécialiste ou amateur, gagne !

Brack est un homme plein de ressources, qui, en plus d'études en économie, a eu un père médecin : comme Himmler, il a une forme de fascination pour la science, une fascination un peu trop mystique pour être saine, en tout cas pour être scientifique. Les fils de médecins qui ne le deviennent pas à leur tour ont rarement un rapport aisé avec la médecine. Bref, comment stériliser des centaines de milliers de personnes le plus vite et efficacement possible, et sans qu'elles s'en aperçoivent ?

Brack a la solution : les rayons X, une découverte récente et bien allemande, qui a valu à Wilhelm Röntgen le prix Nobel en 1901. Ces rayons, qui servent à rendre le corps transparent, sont connus pour être très dangereux à forte dose. Ils détruisent les tissus irradiés. Invisibles et indolores, ils sont responsables d'effets secondaires qui se révèlent dramatiques, des brûlures et des cancers.

Dans sa lettre à Himmler, Brack poursuit : *La castration par rayons X est non seulement relativement bon marché, mais peut aussi être pratiquée sur plusieurs milliers de sujets en un temps très court.*

Nous sommes le 23 juin 1942.

À peine deux mois plus tard, Himmler demande à Brack de débuter les expériences.

Auschwitz est désigné pour devenir le théâtre des premiers essais.

Un an auparavant, Brack avait déjà essayé de convaincre Himmler, mais la tentative d'invasion de la Russie, durant l'été 1941, avait coupé court à son initiative.

Le plan était pourtant presque parfait. Brack a en effet élaboré un stratagème digne des plus grands romans ou des pires films d'horreur. Imaginez une poste, une mairie, les impôts ou n'importe quel autre bureau d'administration où il est coutume d'attendre patiemment son tour. Aujourd'hui la salle est pleine, pleine de malheureux convoqués pour un questionnaire. Le soulagement se lit sur leur visage quand ils s'aperçoivent, leur tour venu, que le questionnaire tendu par le guichetier est anodin. Sans se douter de ce qui leur arrive, ils commencent à répondre aux questions qui leur sont posées. Cependant, pendant deux minutes pour les hommes et trois minutes pour les femmes, l'employé zélé, à l'insu des victimes, actionne deux lampes irradiantes, une de chaque côté du bassin. Sans bruit, sans lumière ni sensations particulières... en quelques minutes le tour est joué. Les organes génitaux, irradiés, sont devenus inaptes à la procréation.

Quelle créativité, quelle imagination ! Digne d'un Fritz Lang, qui, comme la plupart des grands cinéastes allemands, a fui le régime d'Hitler quelques années auparavant.

Brack a tout calculé. Tout prévu. La rentabilité ? 150 à 200 personnes par jour pourraient être « traitées » aux rayons X. Avec 20 installations de ce type, ce sont 3 000 à 4 000 personnes qui seraient stérilisées quotidiennement.

Le coût ? Un appareil à deux lampes reviendrait de 20 000 à 30 000 marks (soit l'équivalent d'environ 10 ou 15 000 euros) auxquels il faudrait rajouter le coût de la protection des fonctionnaires.

Lucide, Brack reconnaît qu'il sera difficile d'empêcher les sujets de se rendre compte qu'ils ont été stérilisés, mais qu'importe, puisque le mal sera fait. Qu'importe aussi les séquelles, les douleurs terribles, les brûlures monstrueuses qui ne pourront pas passer inaperçues : en matière d'euthanasie et de démographie négative, il n'est pas besoin de faire dans le détail, le temps presse.

Himmler donne son accord, mais plus de guichet, de questionnaire, de décors et de mascarade : les murs des camps suffiront à garantir le secret des expériences.

Un an plus tard, le Dr Schumann, sur ordre de Brack, débute les expériences de stérilisation par rayons X à Auschwitz. Il ne s'embarrasse guère de précautions.

Écoutons le témoignage poignant d'un jeune Juif polonais lors du procès de Nuremberg :

À Auschwitz, je reçus le numéro 132.266. Un soir, on ordonna à tous les Juifs âgés de 20 à 24 ans de se présenter au bureau. Je n'y allai pas. 20 prisonniers furent sélectionnés et durent se présenter à un médecin le jour suivant. Ils revinrent, mais personne ne sut ce qu'on leur avait fait. Une semaine plus tard, 20 autres Juifs de 20 à 24 ans furent choisis. Mais cette fois-là, la sélection fut faite par ordre alphabétique et je fus l'un des premiers. On nous amena à Birkenau dans le camp de travail des femmes. Là, un médecin de grande taille, en uniforme de l'armée de l'air (Schumann) arriva à motocyclette. Nous fûmes contraints de nous déshabiller et nos organes sexuels furent placés sous un appareil pendant quinze minutes. Cet appareil chauffa fortement nos organes et les parties environnantes qui, plus tard, devinrent noires. Après ce traitement, nous dûmes reprendre notre travail immédiatement. Quelques jours plus tard les organes sexuels de la plupart de mes camarades suppurèrent et ils eurent les plus grandes difficultés à marcher. Malgré cela, ils durent travailler jusqu'à l'évanouissement ; ceux qui s'évanouirent furent envoyés à la chambre à gaz… Deux semaines plus tard, nous fûmes conduits au bloc 20 d'Auschwitz. Là, on nous opéra. Nous reçûmes une injection dans le dos qui nous rendit insensible la partie inférieure du corps. On nous enleva les deux testicules. J'ai pu suivre toute l'opération dans le miroir d'une lampe.

[...]

Excusez-moi si je pleure. Pendant ces opérations, les médecins portaient une blouse blanche. Le seul uniforme que j'ai vu sur l'un d'eux pendant les stérilisations par rayons X était un uniforme gris de l'armée de l'air. Après cela, je restai à l'hôpital pendant trois semaines. Nous y avions très peu de nourriture mais beaucoup de mouches et de vermine. Toutes les trois semaines, on faisait une sélection ; pendant la grande fête juive, 60 % des malades furent transportés à la chambre à gaz. Les sélections étaient toujours faites par des médecins SS. J'ai été libéré le 30 avril 1945 par les Américains. Je me sens très découragé et j'ai honte de ma castration. Le pire est que je n'ai aucun avenir ; je mange très peu, et malgré cela je deviens très gras. J'ai entendu parler du procès médical, et j'ai pensé que c'était mon devoir de venir témoigner à Nuremberg... Je demande encore au tribunal de ne pas publier mon nom, en aucun cas, car j'ai beaucoup d'amis, et je suis très honteux de ma castration.

Ce témoignage, qui est rapporté par à peu près tous les ouvrages sur la question[1], a tellement ému l'audience que même certains inculpés détournèrent la tête, d'horreur. La suite de l'opération, comme l'explique le Dr Robert Lévy, chargé de l'analyse médicale, est tout aussi terrible :

---

1. La version *in extenso* est donnée par François Bayle.

Leurs blessures se transformaient souvent en can-cer des rayons. Je suppose que les testicules étaient enlevés pour permettre un examen microscopique destiné à contrôler le résultat du traitement par les rayons. [...]

Ces garçons stérilisés étaient atteints physique-ment et mentalement. Ils souffraient énormément, car la radiodermite est une affection extrêmement douloureuse. Ils étaient mentalement diminués. Ils n'étaient plus des hommes, mais des épaves humaines.

Il n'en va pas mieux pour les filles, si ce n'est qu'elles sont stérilisées plus tôt, entre seize et dix-huit ans, voire treize pour les « bohémiennes », car ces populations passent pour se reproduire de manière précoce. Vomissements, douleurs inhu-maines, le résultat est toujours le même, d'une tris-tesse abominable.

La méthode ne convainc pas. Trop compliquée, trop longue, elle se révèle, dans la logique nazie, contre-productive : le témoignage prouve que les victimes ne seront plus opérationnelles pour le tra-vail avec de telles douleurs et de telles séquelles.

Le successeur de Brack, le Dr Blankenburg, écrit à Himmler : *J'attire spécialement votre atten-tion sur le fait que la castration des mâles par ce moyen est presque impossible, ou demande un effort qui ne paie pas. Comme j'ai pu m'en convaincre par moi-même, l'opération de castration ne demande pas plus de 6 ou 7 minutes, et par conséquent peut être pratiquée d'une façon plus sûre et plus rapide que la castration par les rayons X.*

Rien de tel que le scalpel et fin de partie pour les rayons.

Si Blankenburg se concentrait sur les mâles… le spécialiste des femmes, Carl Clauberg, réfléchissait toujours au moyen le plus rapide et le plus efficace de les rendre stériles… (enfin, les femmes de race inférieure), avec l'idée saugrenue que la solution l'aiderait à sauver les Aryennes infécondes qui ne pouvaient rendre service à la Nation.

Il met au point SA méthode, dans une atmosphère de concurrence féroce. En effet, parallèlement aux « travaux » de Brack, de Schumann, de Blankenburg, de Clauberg, bien d'autres scientifiques essaient de trouver la solution à cette démographie négative.

Tout en se disant que cela ne nuirait pas à leur carrière s'ils s'attiraient la sympathie du Reichsführer. En matière de stérilisation de masse, la sélection naturelle est de mise… la lutte est acharnée, la concurrence aussi rude que déloyale pour des résultats surprenants.

Le Dr Adolf Pokorny est un spécialiste en dermatologie et en vénérologie. Probablement fin botaniste, il s'intéresse aux travaux d'un certain Madaus sur la stérilisation des animaux par une drogue, le Caladium seguinum, qui provient de la sève de la plante arum seguinum, utilisée à l'origine par une peuplade du Brésil.

Toujours le même circuit : la lettre pour informer Himmler, l'attente fébrile, la réponse.

Cette fois, elle vient avec une seule annotation : « Dachau » écrit dans la marge.

Mais on s'aperçoit vite que la culture de cette plante se révèle plus compliquée que prévu.

Même en serre, elle pousse trop lentement. Reste l'importation : si la plante pousse facilement en Amérique du Sud, la guerre rend un approvisionnement massif impensable.

Pokorny cherche la présence de cette drogue dans d'autres plantes, plus communes en Europe. Des essais pour produire une drogue synthétique sont réalisés, en vain : même sans rayons X, le projet est stérile, donc vite abandonné.

Il ne reste alors qu'à retourner à la solution initiale : la méthode Clauberg. À cette époque, Clauberg, connu pour ses travaux sur les hormones féminines, travaille aussi pour le laboratoire Schering-Kahlbaum en essayant de mettre au point un produit pour lutter contre la stérilité.

Son rêve, créer un institut de recherche sur la reproduction dans lequel il pourrait travailler dans les deux directions souhaitées : aider les femmes stériles d'une part et... rendre les femmes stériles de l'autre ! L'industrie pharmaceutique finance ses recherches et, pour la pratique, Himmler lui propose des détenues de Ravensbrück, le camp des femmes. Toutefois, Clauberg ne veut pas de Ravensbrück, trop loin, trop compliqué. Pour commencer, il veut réaliser ses expériences dans son propre hôpital, dans lequel il dispose de tout le matériel nécessaire. Nous sommes en mai 1941. Clauberg fait un exposé brillant, lors d'une conférence en présence des plus hautes instances médicales nazies.

Le médecin du Reich, le Dr Grawitz, intervient auprès d'Himmler, sans succès.

Clauberg est têtu. Il repart à l'assaut un an plus tard. Il rencontre Himmler, qui finit par lui ouvrir les portes d'Auschwitz.

Lors de sa première visite dans le camp, Clauberg fait part de ses exigences. Parmi elles, les produits indispensables, sont ceux de la firme… Schering-Kahlbaum.

En décembre 1942, Clauberg arrive dans le camp où il entend le commandant Höss, responsable de ce sinistre endroit, lui dire qu'*Auschwitz restera dans la mémoire des hommes comme un haut lieu de la science.*

Ce haut lieu a un numéro. Le 10. C'est au bloc 10 que le médecin des femmes pourra tenter de résoudre le problème de la « reproduction des races inférieures ».

Le bloc 10 est l'un des mieux protégés du camp. Des planches ont été clouées pour obturer les fenêtres. À l'intérieur, 400 femmes s'entassent dans deux salles. Le vivier est celui de Clauberg, mais aussi de Mengele, de Wirths, qui opère à tour de bras pour ses recherches sur le cancer de l'utérus.

La moitié de ces femmes sont à la disposition de Clauberg. Il peut en faire ce qu'il veut. Quand il veut.

Celles qui meurent sont remplacées par celles qui arrivent dans les convois et qui sont sélectionnées par Wirths.

Les femmes cobayes ne savent pas ce qui les attend.

On leur fait croire qu'elles vont subir une « insémination artificielle ».

Elles se demandent à quel monstre elles vont donner naissance.

En réalité, ce n'est pas un « produit » fécondant que leur injecte Clauberg directement dans l'utérus, mais un liquide blanc afin de leur boucher les trompes, le Formalin, autrement dit du formol. Sitôt injecté par une seringue ressemblant à un clystère, et sous contrôle radiologique, le produit entraîne de terribles brûlures, une impression de déchirure insoutenable dans le bas-ventre.

Selon une survivante, *les femmes avaient l'impression que leur abdomen allait éclater. À la fin de l'expérience elles couraient aux toilettes où elles évacuaient le liquide souvent mélangé à des violentes hémorragies avec des douleurs comparables à celles de l'enfantement.*

Pendant des mois, des centaines de femmes passent sur la table d'opération. L'expérience est répétée plusieurs fois.

Des femmes souffrent, d'autres meurent.

Clauberg n'est pas satisfait. Il demande toujours plus, notamment de matériel. Il a besoin d'appareils à rayons X.

Il écrit à Himmler pour lui dire que sa méthode est « virtuellement » au point mais qu'il reste « quelques petits détails à améliorer ». *Si les recherches se poursuivent au même rythme, le moment n'est pas loin où je pourrai vous dire qu'un médecin correctement exercé, disposant d'un matériel approprié et de dix assistants environ, pourrait très probablement s'occuper de plusieurs centaines de femmes par jour, sinon certainement de mille.*

Clauberg finit par obtenir ce qu'il demandait et même plus. L'un de ses grands rêves, son centre de la reproduction, est annoncé dans un article de la *Gazette de Cracovie* le 21 septembre 1944 par des termes qui laissent pantois : *Sous la direction supérieure médicale du Pr Clauberg, qui, depuis le début de la guerre, a entrepris en Haute-Silésie une lutte contre la mortalité maternelle et infantile, seront ouverts 22 jolis centres pour 800 mères, centres d'accouchements et de repos.*

En janvier 1945, ce sont les troupes russes qui visiteront ces centres. Clauberg tombe entre les mains des Soviétiques. Il est condamné à vingt-cinq ans de prison, puis libéré par des accords germano-soviétiques. Son histoire cependant ne s'arrête pas là. Près de dix ans plus tard, en 1955, les Berlinois peuvent lire l'annonce suivante :

URGENT

Le professeur, docteur en médecine, Carl Clauberg
Recherche
Plusieurs excellentes dactylos
Qui soient en chômage (ce qui est improbable) ou disposant de moments de liberté le soir en particulier, voudraient travailler pour lui deux ou trois heures par jour. S'adresser immédiatement : (de 9 h à 10 h ou de 19 h à 20 h, dimanche compris), clinique universitaire, section chirurgie (station privée, chambre 1). Possibilité de place stable pour les meilleures d'entre elles. Dans ce cas, elles l'accompagneraient en voiture à travers l'Allemagne, tous frais payés[1].

Le docteur n'a même pas pris la peine de changer son nom ! Le plus étonnant est que le comité

---

1. Christian Bernadac, *Les Médecins maudits. Les expériences médicales dans les camps de concentration*, Paris, France-Empire, 1967.

des anciens du camp et les associations de déportés ont toutes les peines du monde à faire rouvrir le dossier Clauberg, car il est assisté par des amis haut placés ainsi que par des firmes pharmaceutiques. Arrêté en 1955, Clauberg est d'abord enfermé dans un asile psychiatrique, avant d'être déclaré « responsable de ses actes ». Enfin, en 1957, le procès va avoir lieu, mais il est trop tard : Clauberg est retrouvé mort dans sa cellule. Si c'est la fin pour le Dr Mabuse, l'histoire n'a toujours pas trouvé de dénouement, ni ses victimes et leurs descendants la paix et la justice : comment a-t-il pu regagner l'Allemagne ? Pourquoi son procès a-t-il été si tardif ? Sa mort était-elle accidentelle ? Quel est le rôle, enfin, des firmes pharmaceutiques avec lesquelles il a été en cheville, qui l'ont vraisemblablement aidé, avant peut-être de le supprimer (pour éviter qu'il ne parle ?). Autant de questions qui n'auront peut-être jamais de réponses.

13

« Elle n'était pas mauvaise. »
Herta Oberheuser

La tête penchée sur le côté. Une voix fluette.
Presque tremblante. La femme que l'on voit
répondre aux questions du président lors du procès des médecins de Nuremberg ferait presque
pitié.

Que fait donc ce petit bout de femme mal à
l'aise sur cette chaise d'accusée ?

Herta Oberheuser essaie de se défendre.

Comme elle peut.

Elle doit répondre aux accusations de celles
qu'elle a accompagnées vers les mains des chirurgiens nazis. Tous les *Kaninchen*, les « petits lapins »,
n'ont pas succombé aux traitements odieux qui
leur ont été infligés. Quelques victimes sont là
pour raconter, Vladislawa Karolewska, Maria
Broel-Plater, Sofia Maczka, que des femmes, parce
que le camp de Ravensbrück a pour particularité

d'être réservé aux femmes. C'est le seul traitement d'exception qu'elles reçoivent car, pour le reste, la vie dans les camps est d'une grande égalité dans l'horreur : même misère, même cruauté, même menace et désespoir, mêmes fumées des chambres à gaz, et même abomination du four crématoire, qui, à Ravensbrück, est en surchauffe depuis avril 1943.

La vie quotidienne à Ravensbrück nous est peut-être mieux connue qu'ailleurs, en raison, notamment, de Germaine Tillion qui fut « l'hôte » de cet enfer (*Le Verfügbar aux Enfers*, « Les Servantes aux Enfers », c'est le titre de l'opérette, oui, l'opérette, qu'elle a composée durant sa réclusion), bâti sur des marécages au nord de Berlin à partir de novembre 1938. Je souhaiterais m'y attarder un instant, pour qu'il ne soit pas oublié en lisant ce livre que ceux et celles qui n'ont pas subi l'horreur des expériences médicales nazies ont eux aussi été des victimes.

Écoutons une des camarades de Germaine Tillion raconter à quoi ressemblait une journée ordinaire à Ravensbrück :

Réveil à trois heures et demie du matin en été, quatre heures et demie en hiver, par le hurlement d'une sirène. Il faut se lever après une nuit sans repos, vite s'habiller, vite arranger sa couchette réglementairement, bien carrée et sans pli, jouer des coudes pour accéder au Waschraum *(salle d'eau* comportant une vingtaine de lavabos et de bacs ou de fontaines circulaires pour plusieurs centaines de femmes), cohue où toutes ne réussissent pas à passer. Il faut choisir entre la queue pour les lavabos, se laver sommairement sans savon ni brosse à dents, ou la queue pour les WC. En moyenne dix WC pour 1 000 femmes, toutes désirant y passer en même temps et avant l'appel. Ce sont de longues banquettes percées de vingt trous. Ces lieux sont de terribles lieux de contagion des maladies et de la vermine. [...] La bousculade continue pour la distribution du « café » : un quart de litre de décoction de glands grillés, âcre et sans sucre, même pas forcément chaude. On n'a pas le temps de tout faire et déjà de nouveau la sirène pour se rendre à l'appel.

[...] Deux heures et demie d'attente en station debout que supportent mal celles qui sortent de longs mois de cellule et souffrent des reins, des pieds et des jambes, terreur des bien portantes, horreur des faibles, des dysentériques, des œdémateuses, instrument de torture qui n'en porte pas le nom et occasion pour la horde des chiens de garde de se déchaîner et de parader. Pendant ces appels qui ont tué tant de détenues, en priorité parmi les plus âgées, quand une femme tombe, nulle ne la relève ; elle reste à terre jusqu'à la fin ou bien elle est ramassée à coups de bottes ou de bâton. Les ravages sont immenses et la masse impuissante. [...] Après l'appel numérique (Zählappell) vient l'appel pour le

travail (Arbeitsappell*), où se forment et se comptent
et se recomptent les colonnes de travail. [...]*

*Les détenues sont vêtues en majorité de loques
marquées de croix peintes sur le dos pour qu'elles
ne puissent pas servir à une évasion. Avoir une robe
rayée devient un privilège et inspire de la considé-
ration, même aux surveillantes : on est « placée » ;
le reste, c'est le sous-prolétariat. Le linge n'est évidemment plus lavé ni désinfecté, les rations de pain
diminuent, les couvertures manquent. Les* reviers
sont complètement saturés[1].

Le *revier*, en théorie, désigne une infirmerie, en
pratique, il se révélait le plus souvent être un mouroir. Jacqueline Fleury, membre du réseau de ren-
seignement Mithridate, décrit en ces termes celui
de Ravensbrück :

*Un jour, atteinte d'une grave dysenterie – mala-
die la plus répandue dans le camp, la plus avilis-
sante aussi –, j'ai été admise au* revier *avec une
forte température. Dans cette baraque, nous étions
aussi entassées à trois ou quatre par paillasse. Il fal-
lait courir pour atteindre les tinettes... ce qui était
impossible, et nous vivions littéralement dans les
excréments. Aucun médicament, juste un peu de
charbon de bois...*

---

1. Amicale de Ravensbrück et Association des déportées
et internées de la Résistance, *Les Françaises à Ravensbrück*,
Paris, Gallimard, 1965, 1987.

Les gémissements, les pleurs, la nuit !

Dans ce lieu dantesque, j'ai vraiment pensé que seule la mort m'attendait, sans espoir de revoir la France à laquelle je pensais intensément[1].

Les gémissements, les pleurs, la nuit et, en guise de cerbère, Herta Oberheuser, les mâchoires serrées par la détermination, injectant une substance létale à celles dont elle dira lors de sa défense qu'elle voulait abréger les souffrances. En effet, Herta Oberheuser est une infirmière zélée, particulièrement zélée. En atteste l'itinéraire de cette petite fille nazie modèle : naissance à Cologne en 1911, bac en 1931, études de médecine jusqu'en 1937. Herta, toutefois, n'est pas une bas-bleu : dès 1935, elle adhère au BDM (*Bund Deutscher Mädel*) et entre au parti en 1937, puis à l'association des médecins nazis. Voilà une jeune femme bien de son temps, une jeune spartiate comme on les voit sur les images d'archives, qui font du sport et glapissent « Heil Hitler ! » les joues rosies par l'effort et l'enthousiasme.

Notre jeune Herta commence à travailler comme assistante médicale à Düsseldorf avant de répondre à une petite annonce alléchante proposant un stage de trois mois comme médecin au KL Ravensbrück. Elle y fait ses classes, brillamment.

---

1. L'intégralité de ce témoignage passionnnant est à lire sur http://lesamitiesdelaresistance.fr/lien17-fleury.pdf, consulté le 21 juin 2014.

Dès la fin de 1940, elle est affectée pour de bon à ce camp. Au procès de Nuremberg, elle explique : *Pour une femme, en Allemagne, il était pratiquement impossible d'entrer dans un service de chirurgie. Il a fallu que j'arrive au camp de concentration de Ravensbrück pour en avoir l'occasion*[1].

À l'en croire, ce seraient la vocation et le féminisme qui l'auraient poussée à participer aux terribles expériences de ses confrères Fischer et Gebhardt. Ceux-ci en revanche obéissent à des motifs qui sont loin d'être scientifiques.

Le 27 mai 1942, à Prague, un attentat est commis contre Reinhard Heydrich, un jeune plein de talent, un blond bien comme il faut, que le Führer adore.

L'abdomen perforé par des balles, Heydrich meurt des suites de ses blessures, emporté par une infection.

Hitler est fou de rage. Il accuse les chirurgiens d'incompétence, y compris Karl Gebhardt, le médecin d'Himmler, qu'il a immédiatement envoyé au chevet de son protégé. Le Führer n'a pourtant pas pris la peine d'envoyer un de ses médecins personnels, Karl Brandt ou Theodor Morell. Ce dernier ne se prive pas de lui glisser à

---

1. Cette citation, et les suivantes, dans ce chapitre sont extraites des traductions de François Bayle, *Croix gammée contre caducée*.

l'oreille que si Heydrich avait reçu « son » sulfamide, il aurait pu être sauvé.

En effet, en 1942, les Allemands ne disposent pas d'antibiotiques réellement efficaces pour éviter ou traiter les infections sur blessures de guerre. Il y a bien les sulfamides, des antibactériens qui permettent de lutter contre quelques germes, mais c'est loin d'être la panacée. Si les Américains en possèdent des doses dans leur équipement, leur efficacité est limitée : les bactéries n'y sont pas toutes sensibles et n'empêchent pas une hécatombe parmi les blessés. Heureusement les Alliés, eux, ont la pénicilline. Découvert dans les années 1920 par Fleming, cet antibiotique n'est véritablement utilisable que depuis peu.

Les Alliés ont plus de chance, ils se font un plaisir de le faire savoir aux autorités allemandes par l'intermédiaire de tracts.

Si la propagande allemande ne tarde pas à dénigrer le contenu des tracts et l'efficacité de la découverte de Fleming, la rumeur laisse toujours des traces, ce qui n'est pas bon pour le moral des troupes.

Toujours est-il qu'Hitler veut savoir si son médecin dit vrai, si les sulfamides fonctionnent. Il fulmine et mande Gebhardt.

Gebhardt a de quoi trémuler dans ses bottes : non seulement le Führer l'a convoqué, mais il a décidé à la dernière minute de ne pas le recevoir.

C'est un camouflet, cuisant, auquel le chirurgien doit sans doute d'avoir la vie sauve mais aussi la nécessité de tout faire pour se réhabiliter aux yeux de ses maîtres.

Gebhardt n'est pas n'importe qui.

Le médecin personnel d'Himmler depuis 1933 est président de la Croix-Rouge allemande, il a été le responsable du service médical des Jeux olympiques de Berlin de 1936. Toujours avec ces superlatifs dont les nazis ont le secret, il a été nommé « clinicien suprême » de la SS et de la police. Autrement dit, pour ce médecin bardé de titres ronflants, il n'est pas question de supporter que l'on mette en doute ses compétences.

Il est persuadé que les sulfamides n'auraient rien changé au cas de Heydrich.

Persuadé que les chirurgiens ont bien fait leur travail.

Persuadé que l'« autre » médecin d'Hitler n'y connaît rien.

Toutefois, lorsque Himmler lui donne l'ordre de réaliser des expériences pour vérifier l'efficacité de ces médicaments, il ne bronche pas. Voilà une trop belle occasion de se réhabiliter, quels que soient les résultats… encore plus si les sulfamides se révèlent inefficaces.

Comment savoir si des médicaments peuvent éviter une gangrène, l'infection d'une plaie, d'une fracture, sur un champ de bataille ?

Pour cet homme pragmatique, il n'y a qu'une solution : recréer artificiellement ces blessures et les souiller avec des bactéries. Ensuite, il suffit de mettre certains de ces cobayes sous sulfamides. L'autre partie n'en recevant pas. Et la « science » observe ce qui se passe sur « les petits lapins » de Ravensbrück…

Herta Oberheuser aurait aimé être chirurgien : elle va avoir l'occasion d'« entrer au bloc opératoire », en assistant ces messieurs.

Ces messieurs lui disent de sélectionner, elle sélectionne, d'anesthésier, elle anesthésie. Gebhardt est ravi. Il déclare au procès de Nuremberg, à propos de celle qui était devenue sa protégée : *Elle prenait si noblement soin des malades et avec tellement de bonté que je la remarquai lorsqu'elle faisait les pansements.*

On hésite entre l'indignation et le dégoût lorsque l'on sait comment ont été causées les plaies qu'Herta masquait. En effet, les « interventions » dépassent l'entendement.

À coups de marteau, les os de la jambe sont cassés. Puis les plaies sont infectées avec des staphylocoques, des streptocoques, des morceaux de bois, des éclats de verre, tout ce qui passe entre les mains de ces médecins-bourreaux.

Ce sont des morceaux d'os des jambes longs de plusieurs centimètres qui sont enlevés avant de laisser faire la... Nature, en l'aidant parfois au moyen de plaques de métal.

Le but ? Tester des médicaments. Vérifier que l'os ne pouvait se régénérer sans son enveloppe, le périoste.

Pas de morphine pour les « petits lapins », que de la souffrance, une terrible souffrance, sans fin : à peine cicatrisées, les cobayes sont renvoyées au bloc pour une deuxième, une troisième, une sixième opération.

Une victime raconte l'horreur au long cours qu'elle et ses camarades ont subie :

Ce jour-là, dix d'entre nous furent conduites à l'hôpital, où elles reçurent une injection. Elles furent gardées à l'hôpital et, quelques jours plus tard, l'une de nous réussit à s'en approcher, et apprit que nos camarades étaient au lit avec les jambes dans le plâtre. Le 14 août, je fus moi-même convoquée à l'hôpital avec huit de mes camarades ; on me mit au lit, et on nous enferma après nous avoir fait une injection. Puis on me transporta à la salle d'opération ; là, le Dr Schiedlausky et le Dr Rosenthal me donnèrent une deuxième injection intraveineuse. Je remarquai le Dr Fischer, qui avait des gants, et je perdis connaissance. Lorsque je me réveillai, je vis que ma jambe était dans le plâtre, jusqu'au genou, et je ressentis une très forte douleur. Ma température était très élevée, et du liquide s'écoulait de ma jambe.

Le lendemain, on me conduisit à la salle d'opé-ration. On me mit une couverture sur les yeux, et je ressentis une très forte douleur avec l'impres-sion qu'on me coupait quelque chose dans la jambe. Trois jours après, je fus portée de nouveau à la salle d'opération, et le pansement fut encore changé. Puis ce furent les médecins du camp qui firent le panse-ment. Deux semaines après, je vis ma jambe pour la première fois ; l'incision était si profonde qu'on voyait l'os. C'est à ce moment que nous fûmes ins-pectées par un médecin de Hohenlychen, le Dr Geb-hardt.

Le 8 septembre, je fus renvoyée au bloc, mais je ne pouvais pas marcher et du pus sortait de ma jambe ; je fus ramenée à l'hôpital. On me mit au lit de nouveau, et le lendemain, on pratiqua sur moi une deuxième opération. Je présentai les mêmes symptômes de gonflement et de pus. Après mon retour à l'hôpital, je fis un jour une remarque à mes camarades sur les mauvaises conditions de ces opé-rations, et je suppose pour me punir, le Dr Ober-heuser me fit aller seule à la salle d'opération à cloche-pied.

Tétanos, gangrène gazeuse, septicémie, hémor-ragies finissent par avoir raison des victimes… quand ce n'était pas le peloton d'exécution ou l'euthanasie pour celles qui s'en étaient sorties. Celles qui ont la chance de ne pas être élues, d'être épargnées par Herta Oberheuser, troquent la douleur contre le remords.

L'infirmière sélectionne ses victimes mais aussi ses favorites. Tout le monde n'a pas la chance de plaire à cette petite femme au visage dur.

On ne sait pas trop sur quels critères elle choisit sa cour. Quelques détenues privilégiées auront droit à des soins. Pour les autres, la majorité, celles qui ne lui plaisent pas, c'est le régime claques, coups, humiliations et absence de toute compassion médicale.

Du haut de son mètre soixante-huit, voulant dominer davantage, elle se met souvent debout sur une table à l'infirmerie et fait défiler les détenues devant elle.

N'importe quel médecin trouverait, lors d'un examen même rapide, des signes d'aptitude ou d'inaptitude au travail : le visage, le teint, les yeux, la respiration, la maigreur.

Fräulein Oberheuser, elle, est obsédée par les jambes. Du bout de sa chaussure, elle soulève les jupes. Fait parfois défiler les détenues d'un bloc devant elle, les jupes relevées au-dessus de la ceinture. Une des détenues du camp déclare lors du procès de Nuremberg : « Elle n'était pas mauvaise. » Qu'était-elle alors ? Je crois qu'il n'est pas nécessaire d'être un homme pour être une brute et que telle était Herta Oberheuser : une brute, désireuse de faire, avec les moyens qui lui étaient accessibles, aussi bien que les monstres qui étaient ses chefs.

Herta ne se contentait pas de son rôle au bloc opératoire, elle « finissait » aussi celles qui souffraient, ou plutôt, occupaient des lits.

Notre bonne âme, bonne femme, a eu l'audace d'affirmer au tribunal que, si elle euthanasiait les mourants, c'était pour les soulager. Les syphilis au stade terminal, les cancers de l'abdomen…

Elle ne « supportait » pas la souffrance de ces pauvres détenues.

Alors, elle injectait, mais, à la place des anesthésiants, elle utilisait de l'essence : 10 cm^3 de pétrole dans une veine du bras.

La malade se redressait brutalement. Retombait. Il y a trois à cinq minutes entre l'injection et la mort. Durant ces minutes de souffrance horrible, la victime reste consciente jusqu'au bout.

Peut-être en raison de son grade inférieur, du fait qu'elle n'a pas officiellement de décision à prendre, elle est condamnée lors du procès des médecins à Nuremberg à seulement vingt ans d'emprisonnement, mais est libérée de la prison de Landsberg en 1952, sa peine ayant été réduite. Le bon petit soldat du Reich reprend du service et s'installe comme pédiatre dans un modeste village du Schleswig-Holstein, Stocksee. Elle y coule des jours paisibles, pèse, mouche, conseille et vaccine jusqu'en 1956, date à laquelle elle est reconnue par d'anciennes détenues de Ravensbrück. Il faudra l'intervention du ministre de l'Intérieur de ce Land pour qu'elle soit interdite d'exercice en août 1958. Rien n'arrête cette femme déterminée et la volonté triomphe : elle va en appel et obtient la révocation de la décision le 28 avril 1961. Aujourd'hui nous trouvons cela révoltant, mais à l'époque ? Faut-il y voir du pardon, de la rédemption ou bien une explication plus sombre ?

Tout ce que je sais, c'est que Herta Oberheuser trouve, dès la fin du procès, un emploi dans un laboratoire de l'institut Bodelschwing et qu'elle meurt le 24 janvier 1978 dans une maison de retraite de Linz.

14

Réussir ou mourir
Erwin Ding-Schuler

Libération. Avec le temps, il ne reste que la puissance du mot, la joie qu'il évoque, le printemps inespéré qui voit se terminer la Seconde Guerre mondiale. Les films, dont certains sont en couleur, nous ramènent à la réalité, une réalité cauchemardesque. Buchenwald, le plus grand camp de concentration d'Allemagne, est libéré par les troupes américaines en avril 1945. Ce que découvrent Patton et ses hommes est tellement abominable que le général ordonne de faire venir les habitants de Weimar, la ville la plus proche et qui fut un temps la capitale de l'Allemagne, pour voir ce qui s'est passé à quelques kilomètres de chez eux.

La caméra filme une cohorte de notables épuisés, en couples souvent, bras dessus bras dessous, solennels, comme s'ils allaient voter. Les femmes portent des fichus et les hommes encore des gilets. Ils avancent penauds, abattus, tête basse, à cause de la défaite et de la fatigue mais aussi pour éviter le plus longtemps possible le spectacle auquel, durant la guerre, ils n'ont pas pu assister. La caméra se rapproche, les montre circulant entre des tas de corps jaunâtres, décharnés, empilés comme des détritus, quelques-uns des 56 000 morts qui ont fini leurs jours à Buchenwald. Les femmes enfouissent leurs visages dans leurs mouchoirs, pour masquer leurs pleurs ou leur dégoût, les hommes baissent les yeux, d'horreur et de honte. Et encore ne savent-ils pas que c'est là, juste à côté de la ville de Goethe et de Schiller, à leurs portes, qu'étaient fabriqués des abat-jour et des savons à partir de peau ou de graisse humaine.

Avant eux, ce sont les soldats de l'armée américaine qui ont eu à subir cette découverte macabre. Dans un reportage d'avril 1945, quelques jours à peine après la libération du camp, Edward R. Murrow, le journaliste et correspondant de guerre, parle à toute la nation américaine, dans un reportage resté fameux, dont voici un extrait :

Une odeur immonde flottait autour de moi alors que des hommes et des jeunes gens tentaient de me toucher. Ils étaient habillés de loques ou de restes d'uniformes. La mort marquait déjà nombre d'entre eux, mais on pouvait lire leur joie dans leur regard. J'ai regardé au loin, par-delà cette pitoyable masse humaine, et j'ai vu les champs où des paysans alle-mands bien nourris labouraient...

J'ai demandé à voir une des baraques. Elle se révéla être occupée par des Tchécoslovaques. Aussi-tôt entré, les survivants se pressèrent autour de moi et essayèrent de me porter sur leurs épaules. Mais ils étaient bien trop faibles pour pouvoir me sou-lever. Un grand nombre d'entre eux ne pouvaient même pas quitter leur paillasse. On m'a dit que cette baraque avait un moment abrité 80 chevaux. Il y avait à présent 1 200 hommes entassés ici, cinq hommes par lit. L'odeur qui régnait dans la baraque était au-delà de toute description.

Ils ont appelé le docteur responsable de cette baraque. Nous avons inspecté ses rapports médi-caux. Il n'y avait que des noms dans ce petit cahier noir – rien de plus – aucune indication à propos des gens qui étaient ici, de ce qui avait été fait ou de ce qui devait être fait. À côté des morts, il y avait une croix. Je les ai comptées. Il y avait un total de 242 croix – 242 morts sur 1 200 hommes, et cela sur une période d'un mois seulement.

Alors que nous sortions pour atteindre la cour, un homme s'est effondré, mort. Deux autres, ils devaient avoir dans les 60 ans, se traînaient vers les latrines. J'ai vu les latrines. Je ne les décrirai pas...

Dans une autre partie du camp, on m'a mon-tré des enfants, des centaines d'enfants. Certains avaient à peine 6 ans. L'un d'entre eux a relevé sa manche et m'a montré son numéro matricule. Il était tatoué sur son bras : B-6030. Les autres m'ont également montré leur tatouage. Ils le porteront jusqu'à leur mort. Un homme plus âgé qui était près de moi m'a dit : « Les enfants sont des ennemis de l'État ! » Je les regardais et je pouvais voir leurs côtes au travers de leurs fines chemises.

Nous nous sommes rendus à l'hôpital. Il était bondé. Le médecin m'a dit que 200 hommes étaient morts la veille. Je lui ai demandé quelles étaient les causes de décès. Il a haussé les épaules et a dit : « Tuberculose, sous-alimentation aggravée, épuisement, et puis il y en a beaucoup qui n'ont tout simplement plus l'envie de vivre. C'est très difficile. » Il a soulevé une couverture et a découvert les pieds d'un homme, juste pour me montrer à quel point ils étaient gonflés. L'homme était mort. La plupart des patients étaient incapables de bouger.

J'ai demandé à voir les cuisines. Tout était propre. L'Allemand qui en était responsable m'a montré les rations journalières. Une tranche de pain brun épaisse comme un pouce, avec une couche de margarine grosse comme trois tablettes de chewing-gum. Avec un peu de confiture, c'était tout ce que les prisonniers recevaient pour 24 heures. L'Allemand avait un tableau comptable accroché au mur. Cela semblait incroyablement compliqué. Il y avait partout des petites punaises rouges. L'Allemand m'a expliqué que chaque punaise représentait 10 morts.

Il devait compter les rations à distribuer et m'a dit :
« Nous étions très efficaces ici. »

Nous avons continué jusqu'à une petite cour. Le mur était adjacent à ce qui semblait être une écurie ou un garage. Nous y sommes entrés. Le sol était fait de béton. Il y avait deux rangées de corps, empilés comme des bûches. Les corps étaient très maigres et incroyablement blancs. Certains cadavres étaient terriblement décomposés, malgré le fait qu'il n'y avait pas beaucoup de chair sur les os. Certains de ces hommes avaient été tués d'une balle dans la tête mais ils ne saignaient presque pas.

Je suis arrivé à la conclusion qu'il y avait plus de 500 hommes et garçons entassés ici en deux rangées. Il y avait aussi une charrette qui devait contenir peut-être 50 corps, mais à vrai dire il était impossible de les compter. Il est apparu que tous ces hommes n'avaient pas été exécutés : ils étaient simplement morts de faim.

Mais en fait la cause de ces décès n'a aucune importance. Des meurtres ont été commis à Buchenwald. Dieu seul sait combien d'hommes et de garçons sont morts ici au cours des 12 dernières années. Jeudi, on m'a dit qu'il y avait plus de 12 000 hommes dans le camp. Ils avaient été plus de 60 000 à certains moments. Que sont devenus tous ces gens ?

Je prie Dieu pour que vous croyiez ce que je vous ai dit à propos de Buchenwald. J'ai décrit ce que j'ai vu et entendu, et cela ne représente qu'une infime

partie de tout ce que j'y ai vu. Pour beaucoup de
choses, il n'existe pas de mots adéquats.

Si je vous ai choqué durant cette description de
Buchenwald, j'en suis profondément désolé.

Même le général Patton, qui pourtant en avait
vu d'autres, a été horrifié, de même que les soldats américains chargés de veiller sur le camp, de
même que les notables de Weimar. Grâce aux
archives, découvrons la suite avec eux. Sur une
table, comme à une brocante, sont disposés des
bouteilles, des blocs, contenant des organes dans
du formol. Il y a là des poumons, des cœurs, et
même un crâne coupé en deux. Je les connais
par le site de l'United States Holocaust Memorial Museum qui a mis en ligne une série de
petites vidéos d'une ou deux minutes. Une ou
deux minutes, on peut difficilement supporter davantage et même moi, qui suis médecin,
je me surprends à être soulagé que ces films
soient muets, tant l'image est effrayante, comme
cette tête réduite (une des atrocités spécifiques à
Buchenwald), infime et répugnante, minuscule et
désespérée entre les mains du soldat qui la fait
pivoter lentement devant la caméra.

La visite du musée des horreurs ne s'arrête pas
là. Pénétrons dans le bloc 46, non loin de l'Institut
d'hygiène de la Waffen SS pour les recherches du

typhus et des virus de Buchenwald. Le bâtiment, construit par les prisonniers eux-mêmes comme c'est souvent le cas dans le système concentrationnaire nazi, est protégé par des barbelés. Petite bâtisse à un étage, le « bloc des cobayes » est complètement isolé, ses portes et fenêtres restent fermées de jour comme de nuit, hormis le personnel, nul n'en sort debout. Les détenus y sont séquestrés une fois pour toutes, ils ne peuvent plus s'en échapper et ne sont soumis à aucun appel. À l'intérieur, il règne un silence mortel, les conversations sont interdites, le moindre chuchotement sanctionné par des châtiments corporels exemplaires.

À leur entrée au bloc 46, les détenus deviennent des cobayes : leur numéro de matricule est remplacé par un nouveau correspondant à celui qui sera inscrit sur les registres d'expérience (*Protokoll*) après leur mort. Ils sont déjà des fantômes. Ils ont été engloutis, sacrifiés sur l'autel de la pseudo-science nazie. Leur bourreau est un jeune docteur d'une trentaine d'années, à l'air timide et aux gestes maladroits, le Dr Erwin Ding. Ne nous y trompons pas : malgré son allure fragile, l'homme est volontiers décrit comme médiocre, orgueilleux, ambitieux, « très susceptible, menteur, rancunier et rebiffeur », comme le souligne le rapport psychologique de Nuremberg. Né en 1912 à Bitterfeld, Erwin est un enfant naturel qui, jusqu'en 1944, a porté le nom de son père adoptif, avant de prendre le nom de son père biologique, Schuler. Sa naissance illégitime l'empêche d'entrer dans l'armée, mais pas dans la SS, qui l'accueille parmi l'escouade des « Têtes de morts ». Piètre praticien – il s'inocule le typhus par mégarde durant une expérience –, il est d'abord envoyé à Buchenwald, puis transféré à Dachau, avant de réintégrer Buchenwald, après un séjour de trois mois à l'Institut Pasteur de Paris.

Quelles sont les « expériences » qui sont perpétrées – j'ai du mal à écrire « menées » pour un protocole si contraire à la médecine – dans le bloc 46 ? À en croire le Dr Ding, qui en est chargé, il s'agit de tester de nouveaux vaccins pour lutter contre le typhus, qui décime depuis 1941 l'armée allemande perdue sur le front russe : les services de santé n'ayant pu faire les opérations d'épouillage dans la région du front, ce sont plus de dix mille cas qui ont été recensés dès l'hiver 1941, soit près de mille trois cents soldats qui ne mourront pas pour la grandeur du Reich. La solution serait de les vacciner, mais les stocks de vaccins sont insuffisants, leur production est lente et coûteuse, d'autant qu'en période de disette, voire de famine, la production de vaccins à base de jaune d'œuf (une des méthodes envisagées avec le poumon de lapin et les intestins de poux) n'est guère envisageable.

Non loin du bloc 46 est élevé le bloc 50, un pimpant laboratoire doté des moyens techniques les plus modernes et même d'une bibliothèque, issue du fonds de la prestigieuse université d'Iéna, le cyniquement nommé Institut d'hygiène de la Waffen-SS. Il est destiné à la production de masse du futur vaccin miracle, « la balle magique, susceptible de tuer le germe sans endommager l'organisme », comme l'écrit Ding dans un de ses nombreux rapports. Pendant que le bloc 50 s'évertue à sauver le soldat allemand (ce qui va être un demi-échec : le vaccin ayant été, sciemment ou non, trop dilué par les détenus qui le fabriquaient, il se révèle peu efficace), le bloc 46 ressemble de plus en plus à un mouroir. *A contrario*, les « progrès » en matière de dissémination de la maladie y sont fulgurants, en raison de la pugnacité et des succès du Dr Ding en matière d'inoculation. Si le docteur fait preuve d'inventivité, c'est pour rendre le typhus plus virulent et sa propagation plus rapide ! Selon le témoignage de son propre secrétaire, Eugen Kogon, au procès de Nuremberg :

Un courrier apporta des poux au bloc 46 ; des détenus furent envoyés au bloc, nus ; ils durent s'asseoir, furent enchaînés, et des boîtes contenant des poux, attachées à leurs jambes, avec du caoutchouc. Elles y restèrent pendant vingt minutes. Les injections de typhus se pratiquaient également au

niveau des bras ; j'ai vu personnellement effectuer
ces injections. Ces poux provenaient de Cracovie.
[…] Pendant mon séjour au bloc 46, j'ai vu mou-
rir approximativement vingt personnes[1].

Répandre la maladie de la manière la plus efficace, c'est-à-dire par injection directe ou en favo-
risant la transmission, voilà la première « étape »
du protocole établi par le Dr Ding. En effet, si la
bactérie est généralement hébergée par des rats
et des souris, elle est transmise à l'homme par les
poux et les tiques, ce qui en fait la maladie redou-
tée des soldats et, aujourd'hui encore, des prisonniers. Elle se caractérise par une forte fièvre avec
délire puis un état de stupeur, de prostration, le
tuphos. C'est cela que l'on voit quand on pénètre
dans le bloc 46, des hommes, par dizaines, qui
cherchent un coin pour mourir, d'abord hébétés, indifférents, avant d'entrer en agonie. Mais à
ce stade, ils n'intéressent plus le Dr Ding. L'historien grec Thucydide a décrit pour la première
fois la maladie : d'après les symptômes évoqués,
on sait que l'épidémie frappa la cité d'Athènes
au temps de Périclès et que ce dernier en mourut, car la maladie est le plus souvent létale, à
moins d'être traitée rapidement, avec des antibiotiques. Durant la Seconde Guerre mondiale,
comme durant toutes les guerres, le typhus a tué

---

1. François Bayle, *Croix gammée contre caducée, op. cit.*

sur le front mais aussi dans les camps de concentration. À Auschwitz-Birkenau, en août 1942, les autorités du camp, débordées par l'ampleur d'une épidémie parmi les détenus et craignant d'être touchées à leur tour, organisèrent une « sélection » qui aboutit au massacre de la moitié des détenus en une seule nuit, soit plus de 10 000 personnes. C'est Charles Nicolle, à l'Institut Pasteur de Tunis, en 1909, qui découvre que les poux étaient le vecteur du typhus. Grâce à cette découverte, on arrive à isoler la bactérie et à mettre au point un vaccin, qui lui vaudra le prix Nobel de médecine et de physiologie en 1928. Mais son vaccin ne peut pas être produit à grande échelle.

Une autre méthode fut mise au point en 1930. Toutefois, dans les années 1940, le vaccin était dangereux à produire, et les scientifiques risquaient de s'infecter facilement.

C'est finalement une fabrication de vaccins à partir d'œufs embryonnés qui devait permettre une production de masse à la fin des années 1930.

À l'époque des expériences de Ding, les antibiotiques ne sont guère disponibles, de même que le vaccin, celui de Weigl, encore trop coûteux pour être produit en masse. L'espoir réside dans les vaccins de Cox, de Haagen et Gildemeister, qui pourraient être produits en grandes quantités, mais qui n'ont pas encore fait leurs preuves.

C'est ainsi qu'en 1941, quelques mois après le *Drang nach Osten*, le Blitz en Russie qui se transforme en fiasco, les têtes pensantes de la médecine civile, de la médecine militaire, des laboratoires et de l'industrie se réunissent pour trouver et organiser une solution au problème. La Wehrmacht ne pouvant s'occuper seule de la production du vaccin, le ministre de la Santé, Leonardo Conti, qui était médecin et SS, décide de réunir le 29 décembre 1941 MM. Reiter, Gildemeister, Mrugowsky, Scholz, tous chercheurs ou médecins, ainsi que quelques représentants de l'industrie pharmaceutique. C'est à cette conférence qu'il est décidé que, pour aller plus vite, des expériences pourront être effectuées directement sur l'homme. À leurs yeux, le temps presse : les soldats sur le front russe meurent par centaines, pire, certains refusent de rejoindre ces lignes s'ils ne sont pas vaccinés. Voilà qui leur suffit à justifier des expériences sur l'homme. Deux camps sont désignés, Natzwiller et Buchenwald.

Si le Dr Ding est déjà en place depuis 1939 à Buchenwald, il n'a pas, contrairement à Mengele ou à Rascher, pris l'initiative de ces expériences. Il les conduit avec tout autant de zèle, à défaut de passion. Extrêmement scrupuleux, il tient un journal de ses expériences, journal qui, grâce à l'intermédiaire d'Eugen Kogon, n'a pas été brûlé avant l'arrivée des troupes américaines. Ce document, unique, se révèle précieux au moment du procès et donne une idée non seulement de la façon dont Ding a mené les expériences, mais aussi du regard qu'il jetait sur une tâche qui révulserait quiconque a prêté le serment d'Hippocrate : contaminer volontairement un patient. En voici un extrait, qui date de l'année 1943 et qui montre bien que le but premier de Ding n'est pas de soigner, mais d'infecter[1].

Pour déterminer un moyen d'infection sûr, des expériences ont été effectuées avec du sang de personnes atteintes de typhus. L'infection fut pratiquée de la façon suivante : expériences préliminaires C : trois sujets reçurent 2 cm³ chacun de sang frais entier par voie intraveineuse, deux sujets reçurent 2 cm³ chacun de sang entier par voie intramusculaire ; deux sujets reçurent 2 cm³ chacun de sang frais entier par voie sous-cutanée ; deux sujets reçurent des scarifications ; deux sujets furent infectés avec un scalpel à vaccination cutanée.

Les sujets infectés par voie intraveineuse présentèrent un typhus grave et moururent d'insuffisance circulatoire grave. Les autres sujets d'expériences ne se plaignirent que de troubles d'importance secondaire, sans devenir malades d'hôpital.

---

1. Les citations suivantes sont tirées de François Bayle, *Croix gammée contre caducée, op. cit.*

Et de conclure, quelques lignes plus loin :

En conséquence, le plus sûr moyen de conférer le typhus à l'homme est constitué par l'injection intraveineuse de 2 cm³ de sang entier frais de typhique.

Dr Ding, Sturmbannführer SS.

Que le moyen le plus rapide de tuer un homme du typhus est de lui injecter directement dans le sang la maladie, et de déterminer la dose convenable, voilà toutes les découvertes de Ding.

De page de journal en page de journal, de rapport en rapport, toujours les mêmes conclusions, dans un style sec et froid, qui les rend d'autant plus effrayantes :

5 morts, 3 personnes de contrôle, 1 vacciné avec Behring normal, 1 vacciné avec Behring fort ; tous les sujets présentent un typhus très grave ; les feuilles de clinique de tous ces cas sont envoyées à Berlin. Quatre morts parmi les sujets de contrôle.

Derrière l'expression « sujets de contrôle », il y a des malheureux choisis pour être inoculés de force. Devant leurs souffrances, il y a l'incapacité ou le refus du Dr Ding de les soigner, mais aussi un public, renouvelé, de dignitaires des services de santé ainsi que des entreprises pharmaceutiques. C'est une autre particularité de ces expériences : elles ne sont pas le fruit d'individus, mais bien celui du système, les autorités de santé allemande durant cette période. Certains, plus tard à Nuremberg, avoueront avoir agi sous la contrainte, par peur de représailles, comme le Pr Rose, de l'Institut Robert-Koch qui, après s'être dressé contre les expériences humaines de Buchenwald, après avoir mentionné la question éthique, souligné que ces expériences n'apporteraient pas plus que des expériences animales, a fini par y participer en faisant livrer des souches de vaccins. C'est aussi, notons-le, un des rares cas où Himmler n'a pas eu besoin d'avoir l'initiative. Dans son témoignage, Eugen Kogon affirme avoir vu personnellement au bloc 46 les Prs Mrugowsky, Rose, Gildemeister, présents à la conférence de 1941 ; Ding, quant à lui, prétend que le Dr Brandt, le médecin personnel d'Hitler, est venu le voir. C'est lors d'une de ces prestigieuses visites que le docteur, en janvier 1942, s'inocule le virus par mégarde. Ding est donc une de ses premières victimes mais, rapatrié à l'hôpital de Berlin, il en réchappe, à la différence de la grande majorité de ceux qu'il traite.

Toutefois, échaudé par ce qu'il appelle dans son journal un « accident de laboratoire », qui lui a valu, malgré lui, d'être immunisé contre le typhus, le Dr Ding répugne dès lors à visiter le bloc 46. Qu'importe, il peut compter sur deux acolytes : avec le Bête, il faut compter la Brute et le Truand.

Le Truand, c'est Waldemar Hoven, médecin-chef de l'hôpital de la Waffen-SS à Weimar et

Hauptsturmführer SS, qui a dirigé le service durant la maladie et la convalescence de Ding. Doté d'un visage dont la seule franchise est de porter sur lui son arrivisme et son absence de scrupules, Waldemar doit sa thèse de doctorat en médecine à deux déportés, Sitte et Wegerer qui, depuis leur camp de concentration, ont rédigé pour lui une recherche plutôt brillante sur la tuberculose. Waldemar Hoven aurait appris par cœur le texte de soutenance. Ce qui est sûr, c'est qu'il est reçu avec mention à l'université de Fribourg et qu'on le retrouve à Buchenwald dès 1939, où il organise un trafic d'alcool et de bijoux, ce qui lui vaut d'être arrêté par l'Inspection SS des camps. Armé de son physique avantageux, il a aussi séduit celle que les détenus ont baptisée « la sorcière de Buchenwald », ou « la chienne de Buchenwald », Ilse Koch. Cette femme, sur laquelle les témoignages ne tarissent pas d'horreur, est un monstre. Épouse du premier commandant de Buchenwald, Karl Koch, parmi mille et une cruautés, elle est à l'origine des tristement fameux abat-jour en peau humaine et aurait désigné elle-même, sur les corps des malheureux, les tatouages dont elle souhaitait voir orner ses luminaires. Avec Hoven, ils sont en plein accord physique et esthétique, car le médecin gominé partage le même goût en matière de décoration humaine. Comme le rapporte un déporté, Joseph Ackermann[1] :

Le Dr Hoven se tenait un jour à côté de moi à la fenêtre du service des autopsies. Il me montra un prisonnier qui travaillait dans la cour et me dit : « Je désire voir le crâne de celui-ci sur mon bureau d'ici demain matin. » Le prisonnier eut l'ordre de se présenter au service de médecine. On inscrivit son numéro et le cadavre fut apporté le jour même à la salle de dissection. L'examen post-mortem montra que l'homme avait été tué par une injection. Le crâne fut préparé et remis au Dr Hoven.

Hoven a nié cette accusation lors de son procès, préférant accuser Ding et tentant en vain de se faire passer pour un agent infiltré, qui, malgré tout, essayait de sauver des vies humaines ou du moins d'apaiser les tourments, détruisant par exemple des poux arrivés pour la contamination ou bien administrant une dose létale aux cobayes agonisants du bloc 46. Il omettait de préciser que cela lui permettait d'être le premier à faire leurs poches (si jamais elles n'étaient pas vides) et de libérer des lits.

Pendant que Hoven joue de la seringue, le kapo Dietzsch, la Brute, manie le gourdin. Hercule diabolique, condamné par le régime hitlérien,

---

1. Cité, ainsi que le témoignage suivant, dans Christian Bernadac, *Les Médecins maudits*, *op. cit.*

après plusieurs séjours en prison, il est envoyé à Buchenwald comme interné politique. Il est le seul à se porter volontaire lorsque Ding réclame un aide. Violent et sadique, sans aucune compétence médicale, c'est pourtant lui qui examine les malades, pratique les inoculations de typhus d'homme à homme et surtout choisit, parfois avec Hoven, les futures victimes. Grand, massif, avec un crâne énorme et une calvitie en couronne, il aurait un faux air de Bourvil si son regard lointain et torve n'était pas inquiétant. En octobre 1946, Victor Holberg se présenta au Bureau des crimes de guerre de Luxembourg :

À l'automne 1943, j'ai été transféré au bloc d'expériences 46/50 ; l'infâme kapo Arthur Dietzsch et le Dr Erwin Ding étaient chargés de ce bloc.

Je découvris un jour que 720 prisonniers avaient été infectés avec des injections de sang de typhiques. Les personnes infectées souffraient terriblement et avaient 40 à 41 degrés de fièvre, pendant trois à quatre semaines. Plus de la moitié mouraient pendant la période fébrile. Ceux qui n'en mouraient pas étaient si émaciés qu'ils semblaient être des squelettes. Après récupération, ils étaient désignés pour une colonne de travail pénible, et y périssaient. Les prisonniers étaient choisis sans discrimination. À la fin 1944 et au début 1945, seuls des criminels de droit commun et des prisonniers en détention de sécurité furent utilisés ; il n'y avait pas de justification scientifique à ces inventions. Le Dr Ding était un jeune médecin non compétent, et le personnel infirmier n'avait aucune formation. Le kapo Dietzsch était un homme brutal, qui parcourait les salles armé d'un grand bâton, et tuait des malades.

Comme si cela ne suffisait pas, les industries pharmaceutiques viennent compléter ce triste tableau. Jusqu'alors restées en réserve, se contentant d'observer, à partir de mai 1943 non seulement elles participent, mais elles exigent. IG Farben, la compagnie qui fut en charge de produire le Zyklon B, demande des expériences sur le Rutenol et l'acridine, qui sont cancérigènes pour l'homme. D'autres substances, comme le bleu de méthylène, furent envoyées pour être testées à Buchenwald, notamment issues des usines Behring de Marburg.

Ding le rapporte ainsi[1] :

Selon les instructions de la maison Bayer-Hoechst, le Rutenol fut administré sous forme de granulés, dont une tasse à café pleine correspond, en gros, à une dose de 0,4 g. Le traitement comprenait une série normale de six à dix doses, à intervalles de six heures ; dans le cas de la nitro-acridine enrobée dans du sucre, c'était un à deux comprimés, trois

---

1. Les deux citations qui suivent sont tirées de François Bayle, *Croix gammée contre caducée, op. cit.*

fois par jour. Les malades dont l'infection pouvait être considérée comme certaine reçurent du Rutenol et de l'acridine, déjà pendant la période d'incubation. Lorsque le malade pouvait prendre des médicaments, même très peu, le traitement fut continué au-delà de dix doses.

La mortalité est terrible, les résultats sans valeur. Même le docteur est contraint de conclure :

Les deux drogues n'ont provoqué aucune amélioration de la maladie, ni diminution de la fièvre. Le pourcentage de décès est, en gros, le même que celui des sujets de contrôle, non traités par ces médicaments.

Nous sommes en 1943, la recherche menée par Ding piétine et il se sent menacé. Même les hommes du bloc 46 doutent de lui :

De plus, il y avait de nombreuses raisons de douter de l'efficacité du vaccin produit par le Dr Ding ; à Noël 1943, il en avait terminé avec son vaccin typhique, et de nouvelles expériences furent entreprises. Une série de prisonniers, habituellement 25, reçurent des vaccins, puis furent infectés avec du typhus. Les séries de contrôles étaient infectées sans avoir été vaccinées. 50 à 60 % de ce dernier groupe mouraient immédiatement. Le Dr Ding déclarait que les expériences devaient réussir ou qu'il aurait à se suicider[1].

---

1. Christian Bernadac, *Les Médecins maudits*, op. cit.

Après une tentative infructueuse de suicide en juin 1945, à coups de médicaments et de lame de rasoir, le Dr Ding a, pour une fois, réussi ce qu'il avait entrepris : il trouva la mort deux mois plus tard. Ses expériences, elles, ont volé la vie de plus de deux cents hommes et ont sans doute contribué à renforcer la virulence du typhus.

15

Opération Paperclip

Nous sommes souvent frappés par l'insoutenable légèreté des peines de Nuremberg. Après le réquisitoire et les plaidoiries de la défense, au terme du jugement rendu les 20 et 21 août 1947, sept accusés sont acquittés en application du principe de la *common law*, selon lequel la culpabilité doit être établie « au-delà d'un doute raisonnable ». Parmi les acquittés, Siegfried Ruff, le supérieur de Rascher, qui supervisa les expériences menées au bloc 5 de Dachau. En vertu du même argument, d'autres sont acquittés à la suite d'un deuxième jugement : Beiglböck, après avoir été condamné à quinze ans de prison, est libéré en 1951. L'homme a, entre autres, effectué une ablation du foie sans anesthésie sur une de ses cobayes. Certains sont libérés à peine quelques années plus tard, comme Otto Ambros, le chimiste de la tristement célèbre entreprise IG Farben.

Pourquoi ?

La raison en est la volonté de pardon, soutenue par celle que la vie reprenne ses droits et que la paix pousse sur le charnier et les décombres de la Seconde Guerre mondiale, mais pas seulement. Les Américains sont souvent admirés pour leur pragmatisme et, dans le cadre de la rivalité avec les « autres » vainqueurs, les Soviétiques, il est capital de devancer technologiquement les alliés d'hier, en passe de devenir les ennemis de demain. Or, où trouver meilleure réserve de scientifiques que dans l'ancienne Allemagne nazie ? N'oublions pas que, bien avant l'avènement du IIIe Reich, la science allemande domine le monde. Pour ne donner qu'un exemple, entre le début du XXe siècle et 1933, 71 des prix Nobel décernés sont allemands. Certains deviennent des nazis convaincus, comme le physicien Philipp Lenard, ou Richard Kuhn, qui ne commençait jamais un cours sans proférer un « Sieg Heil » tonitruant et qui a donné au Reich le Soman, un neurotoxique puissant, et aux États-Unis, l'abominable gaz sarin.

Hitler déclarait volontiers qu'il était un « fou de technologie » et, avec Himmler, nous avons vu qu'il y avait toujours une oreille favorable, des crédits et de la main-d'œuvre ou des cobayes humains à foison pour quiconque voulait se lancer dans de nouvelles expériences. Il s'en est fallu de peu que les Allemands soient les premiers à fabriquer la bombe atomique. Si les Américains ont eu la primeur *in extremis* dans ce domaine, il en est tant d'autres, notamment dans l'armement et la virologie, où la science du Reich avait une longueur d'avance et, dans la nouvelle course aux armements, celle-ci peut se révéler décisive.

Tout commence à Strasbourg, en novembre 1944. Dans la ville en ruine, Samuel Goudsmit, un physicien de haute volée, plus habitué à manier le microscope que le revolver, n'en croit pas ses yeux. Il tient dans ses mains une lettre, une preuve. Il est là grâce à son savoir scientifique mais aussi parce qu'il maîtrise l'allemand à la perfection : si Goudsmit et ses hommes ont appris avec soulagement que les essais de bombe nucléaire allemande ont été un échec, les rumeurs les plus inquiétantes circulent sur de potentielles armes bactériologiques. Goudsmit doit évaluer le degré d'avancement de ces recherches. Sa connaissance et son intuition l'ont dirigé vers l'appartement du Pr Haagen, célèbre dans le milieu scientifique pour avoir participé, au Rockefeller Institute de New York, à la mise au point du vaccin contre la fièvre jaune et bientôt célèbre aussi pour ses « travaux » sur les effets du typhus. Le professeur a fui vers la zone d'occupation soviétique, il a laissé sa correspondance et c'est là, dans ses lettres signées « Heil Hitler », que Goudsmit découvre que celui qu'il avait sans doute admiré un temps a réalisé l'inconcevable, des expériences sur d'autres êtres humains, qu'il réclamait par dizaines à son collègue de Natzwiller, le Dr Hirt. Goudsmit est horrifié, les militaires auxquels il envoie ses rapports, inquiets : et si ces expériences avaient été concluantes, si les nazis, parmi mille abominations, avaient créé des armes bactériologiques et les vaccins adéquats pour protéger leurs armes ? Dans l'agitation de la Libération, quelque part dans la forteresse du Pentagone, est créée la Joint Intelligence Objectives Agency. Sa mission : recruter d'anciens scientifiques nazis pour le compte de l'armée, de la marine et, à partir de 1947, de la CIA, puis de la NASA. Certes, les nouvelles recrues ne doivent pas avoir commis d'atrocités pour faire partie de la très secrète opération Paperclip, mais guère de preuves ne leur sont demandées, car l'important est ailleurs : il s'agit d'éviter rien de moins qu'une nouvelle guerre, mondiale et totale, utilisant à la fois des armes conventionnelles, mais aussi atomiques et bactériologiques, prévue par le Pentagone pour... 1952 !

C'est ainsi que, dès mai 1945, malgré l'opposition du président Roosevelt, les membres de la JIOA sillonnent l'Europe dévastée, à la recherche de nouveaux scientifiques pour les États-Unis d'Amérique, terre d'accueil depuis toujours, même d'anciens nazis. Le nombre de scientifiques compromis ayant pu par ce biais rejoindre les États-Unis est estimé à pas loin de mille six cents. Parmi eux, Walter Schreiber, *Generalarzt* de la Wehrmacht et qui a expérimenté sur des prisonniers le gaz-gangrène, le virus du typhus, certaines drogues, l'eau glacée et les chambres de basse pression. Capturé par les Soviétiques lors de la bataille de Berlin, on le retrouve quelques années plus tard au Texas, dans la prestigieuse Air Force School of Aviation Medecine. Parmi eux, Herbert Wagner, l'inventeur du missile HS-293, la première bombe planante, utilisée pour couler les navires à partir de 1943. Il fut aussi l'un des premiers à bénéficier de l'opération Paperclip qui l'introduisit dans la Naval Technical Intelligence, alors que son invention a coûté la vie à des milliers de marins alliés : sans rancune, dans la Navy. Parmi eux, Arthur Rudolph, chargé d'organiser la construction des missiles de croisière V (pour *Vergeltungswaffe*, « arme de représailles ») grâce à l'esclavage des prisonniers du camp de Dora-Nordhausen. La NASA lui doit la construction du lanceur Saturn V, sans lequel le programme Apollo n'aurait peut-être jamais réussi. À ses côtés, Wernher von Braun, lui aussi ayant fait ses armes à Dora-Nordhausen, avant de devenir le directeur du Marshall Space Flight Center. Si l'homme a marché sur la Lune, c'est en prenant son élan depuis le charnier criminel des esclaves de Dora, le camp où est née l'aérospatiale et où sont morts des milliers d'hommes, pour reprendre le titre de l'ouvrage écrit par Jean Michel, rescapé de Dora. Héros du rêve américain un temps, Rudolph est pourtant contraint de quitter les États-Unis en 1984, afin d'éviter les poursuites judiciaires. Parmi eux, Erich Traub, virologiste de son état, envoyé par Himmler en Turquie pour en rapporter les germes de la peste et en faire une arme. Il préféra une retraite tranquille au secrétariat à l'Agriculture, non sans avoir auparavant fait bénéficier l'armée américaine de son savoir. Certains sont si attachés à leur patrie que les membres de Paperclip, prêts à beaucoup de concessions, leur assurent la tranquillité en Allemagne, encore sous surveillance américaine, pour peu qu'ils travaillent pour l'oncle Sam. Dans la bonne ville de Heidelberg, cité coquette, romantique et bastion d'une base américaine, habitants et touristes ont pu croiser pendant des années Richard Kuhn, le « père » du Soman, peut-être aux côtés de son collègue Gerhard Schrader, l'« inventeur » du gaz tabun, Siegfried Ruff, qui supervisa les expériences de Rascher, en compagnie d'un de ses anciens collègues de Dachau, Konrad Schäfer, qui développa le processus de désalinisation à l'origine des expériences de Beiglböck.

La liste n'est pas exhaustive, elle est toujours surprenante et parfois terrifiante. Au début des années 1990, les membres d'honneur de la faculté de médecine du Texas sont perplexes : que faire de cette révélation du *New York Times* affirmant que l'un de leurs héros locaux, le Dr Strughold, figurait sur la liste des criminels de guerre nazis établie en 1945 ? Il faut dire que Strughold est considéré, à juste titre, comme l'un des pères de la médecine aérospatiale. Depuis le milieu des années 1980, le 15 juin a été déclaré par le sénat texan le « Dr Hubertus Strughold Day », une bibliothèque porte son nom, signe de reconnaissance ultime aux États-Unis (partagé avec les présidents). Il n'est donc guère étonnant que son buste trône, aux côtés de celui d'Hippocrate, dans la salle d'honneur de la faculté. C'est le même homme pourtant qui a assisté à la conférence de Nuremberg durant laquelle Sigmund Rascher a fait état de l'avancée de ses expériences à Dachau. C'est le même homme qui lisait les rapports d'expériences sur le froid où « cochons adultes » signifiaient en réalité « prêtres catholiques ». C'est le même homme dont l'assistant de recherches a été condamné pour crimes contre l'humanité. Il faut deux ans, une kyrielle de preuves toutes plus accablantes les unes que les autres, pour qu'en 1995 le portrait soit retiré, un an avant la mort du docteur. En 2012, le *Wall Street Journal* révèle en outre que Strughold a autorisé des expériences sur des enfants atteints d'épilepsie. Si, atterrée par cette nouvelle, la Société allemande de médecine aéro-spatiale décide de retirer le prix Strughold qui était décerné tous les ans depuis 1970, son équivalente américaine ne bronche pas : en 2013 encore, un homme de science était couronné du prix Hubertus-Strughold pour sa contribution à la médecine aéronautique. Je n'ai à ce jour jamais entendu parler de personnes qui l'auraient refusé en raison du passé de Strughold.

Le cas n'est pas isolé. Le National Space Club Florida Committee, pour féliciter un scientifique ou un spationaute, distribue sans rougir le prix Kurt-Debus. Les amateurs d'astronomie connaissent le nom de celui qui fut le premier directeur du Kennedy Space Center. Les amateurs d'histoire le connaissent pour une autre raison : Kurt Debus fut un SS enthousiaste, arborant uniforme noir et brassard rouge pour aller au travail, dénonçant à la Gestapo un de ses collègues qui refusait de faire le salut nazi. Avec autant de ferveur et de loyauté, il a servi la NASA pendant vingt-huit années, jusqu'à sa retraite, en 1974. Malgré les révélations sur son passé, ses supérieurs l'ont toujours décrit comme un scientifique irréprochable et un « Américain d'honneur ». Kurt Debus est peut-être devenu un autre homme en arrivant aux États-Unis ? Permettre à l'homme de marcher sur la Lune, est-ce une rédemption suffisante ? Il est vrai qu'il n'a pas commis de crime imprescriptible, même si ses inventions ont entraîné la mort : les historiens estiment à 9 000 le nombre de civils et de militaires tués par les V2 et à 12 000 le nombre de prisonniers des camps morts pour leur production.

Last but not least, Otto Ambros, l'homme d'IG Farben. Il est en haut de la liste des criminels de guerre à capturer : dans les usines d'Auschwitz, il a fait fabriquer par des hommes réduits en esclavage le gaz destiné à les tuer, eux ou leurs frères ; d'autres centres de production sous sa gouverne ont produit le gaz sarin et le gaz tabun, les deux hautement toxiques. En bref, une crapule, mais une crapule précieuse pour l'armée américaine. Lorsque le major Tilley est sur le point de l'arrêter, Ambros a déjà fui, dans une jeep américaine, avec la complicité de l'armée. Direction Heidelberg, où l'US Chemical Warfare Service met tous les moyens à sa disposition, y compris d'anciens associés largement compromis, pour que soit fabriqué du gaz sarin, une arme immonde, cinq cents fois plus toxique que le cyanure, qui provoque une agonie douloureuse, avec convulsions et asphyxie. Voilà une arme diabolique, que les Américains entendent rédimer en la produisant pour la bonne cause cette fois-ci, c'est-à-dire la cause américaine. Dans la même usine, Ambros peut, s'il le souhaite, évoquer le bon temps avec un autre brillant expert en armes bactériologiques, Kurt Blome. Après avoir servi le gouvernement américain, il fut appelé comme conseiller d'honneur par plusieurs entreprises européennes, dont BASF. Dans les couloirs de la Chancellerie, du temps d'Adenauer, il n'était pas rare de le voir prodiguer des conseils. Il est mort en 1990, à l'âge de quatre-vingt-douze ans, avec tous les honneurs dus à un si brillant entrepreneur.

Pardon ou compromission ? Il est difficile de trancher, d'autant que les États-Unis n'ont pas été les seuls. Les Soviétiques en ont fait de même, France et Royaume-Uni n'ont guère tardé à suivre le mouvement. Il faut savoir qu'en France, une centaine de techniciens et ingénieurs allemands ont été « invités ». Ils ont permis la mise au point des premiers moteurs à réaction de la chasse française (Snecma Atar), du premier Airbus et des premières fusées françaises. De même, le premier hélicoptère construit dans l'usine devenue plus tard Eurocopter à Marignane, le SNCASE SE. 3000, était une évolution d'un modèle récupéré en Allemagne, le Focke-Achgelis Fa 223 Drachen.

Moi, c'est une autre question qui me taraude : est-ce que les expériences criminelles perpétrées par les médecins nazis ont bénéficié à la science contemporaine ? La réponse est en demi-teinte. Aujourd'hui, les pilotes de chasse utilisent des combinaisons anti-g, qui permettent d'éviter le phénomène de voile noir et la perte de connaissance. Il se dit que Sigmund Rascher en serait à

l'origine. Ce n'est qu'à moitié vrai, car la paternité
« légitime » va au Canadien Wilbur Franks qui
en avait imaginé le principe dès 1941. En fait, le
seul domaine dans lequel les nazis ont permis une
avancée est la mort. Sarin, tabun, missiles, autant
de procédés nés sous le signe de la croix gammée
et destinés à rationaliser le crime de masse. Avec
la science telle qu'elle a été déformée par l'idéologie du IIIe Reich, Hippocrate est descendu aux
enfers : au lieu de soigner, cette anti-médecine
tue. Elle ne sait pas faire autrement, en voici une
ultime preuve : vous souvenez-vous du scandale
de la thalidomide ? C'était en 2008, mais l'affaire
remonte aux années 1950. Aux futures mères américaines, on promettait une nouvelle libération : un
produit miracle permettait de supprimer les nau-
sées de début de grossesse. Le « médicament »
s'appelait Contergan, ses enfants sont nés avec des
malformations si monstrueuses que je préfère ne
pas les citer. La paternité de ce poison revient à
Richard Kuhn et à l'entreprise IG Farben.

Conclusion

Des médecins tortionnaires, complices, passivement, activement, il y en a eu d'autres, dans les camps et ailleurs.

Certains ont agi, d'autres ont regardé.

Certains ont obéi, d'autres ont initié.

Tous ont été la honte de notre profession.

J'ai voulu écrire ce livre, raconter ces atrocités, tenter de dresser le portrait de ces ordures pour trouver une réponse claire aux questions que je me posais... avant de commencer mes recherches. Aujourd'hui, au moment de terminer cet ouvrage, je ne suis plus certain qu'une telle réponse existe, même si j'ai pu mieux cerner ceux qui ont joué avec la vie de milliers de personnes.

Non, ils n'étaient pas tous incompétents.

Non, ils n'étaient pas tous de petits médecins qui trouvaient dans les camps le moyen d'assouvir leur ambition d'être un maillon de la chaîne de destruction des sous-races, pour devenir un élément essentiel du sauvetage de ce monde aryen qui dominerait le monde.

Surtout, ils n'étaient pas seuls.

Les complicités allaient des facultés de médecine prestigieuses aux laboratoires pharmaceutiques peu scrupuleux quant à l'origine des cobayes ou l'absence de consentement de la part de ceux sur qui étaient testés les produits. Sans oublier les Alliés, qui récupérèrent nombre de scientifiques qui avaient les mains souillées du sang de leurs victimes.

Quant aux avancées médicales, il est, malheureusement, impossible de répondre aussi aisément. Quoi qu'il en soit, de l'immense majorité de ces expériences, rien n'est sorti.

Rien d'autre que la souffrance et la mort.

Rien d'autre que des cris, des hurlements, des supplications.

Ces cris, je les ai imaginés, je les ai presque entendus.

Ils me hantent encore aujourd'hui.

Qui peut dire qu'on ne les entendra plus ?

BIBLIOGRAPHIE

Amicale de Ravensbrück et Association des déportées et internées de la Résistance, *Les Françaises à Ravensbrück*, Paris, Gallimard, 1965, 1987.

Gerald Astor, *The Last Nazi. Life and Times of Dr. Josef Mengele*, New York, Donald I. Fine, 1985.

Philippe Aziz, *Les Médecins de la mort*, sous la direction de Jean Dumont, 4 tomes, Genève, Éditions Famot, 1975.

Robert N. Proctor, *La Guerre des nazis contre le cancer*, Paris, Les Belles Lettres, 2001.

François Bayle, *Croix gammée contre caducée. Les expériences humaines en Allemagne pendant la Deuxième Guerre mondiale*, Paris, Le Cherche Midi, 1950.

Christian Bernadac, *Les Médecins maudits. Les expériences médicales dans les camps de concentration*, Paris, France-Empire, 1967.

Édouard Calic, *Himmler et l'empire SS*, Paris, Nouveau Monde, 2009.

Jorge Camarasa, *Le Mystère Mengele. Sur les traces de l'Ange de la mort en Amérique latine*, Paris, Robert Laffont, 2008.

Richard J. Evans, *Le Troisième Reich*, 3 tomes, Paris, Flammarion, 2009.

Bruno Halioua, Emmanuel Hirsch et Richard Prasquier, *Le Procès des médecins de Nuremberg. L'irruption de l'éthique médicale moderne*, Paris, Vuibert, 2007.

Raul Hilberg, *Holocauste : les sources de l'histoire*, Paris, Gallimard, 2001.

Annie Jacobsen, *Operation Paperclip. The Secret Intelligence Program that Brought Nazi Scientists to America*, New York, Little, Brown and Company, 2014.

Stefan Klemp, *KZ-Arzt Aribert Heim. Die Geschichte einer Fahndung*, Berlin, Prospero Verlag, 2010.

Robert Jay Lifton, *Les Médecins nazis. Le meurtre médical et la psychologie du génocide*, Paris, Robert Laffont, 1989.

CRÉDITS

Les accusés du procès des médecins à Nuremberg
© United States Holocaust Memorial Museum
United States Holocaust Memorial Museum (Primary) National Archives and Records Administration, College Park

Sigmund Rascher (à droite) expérimentant l'immersion dans de l'eau glacée
© Süddeutsche Zeitung/Rue des Archives

Wilhelm Beiglböck
© United States Holocaust Memorial Museum
United States Holocaust Memorial Museum (Primary)

Konrad Schäfer
© United States Holocaust Memorial Museum
United States Holocaust Memorial Museum (Primary)

Heinrich Himmler
© Mary Evans/Rue des Archives

United States Holocaust Memorial Museum (Primary)

Herta Oberheuser
© United States Holocaust Memorial Museum
United States Holocaust Memorial Museum (Primary)

Erwin Ding-Schuler
© DR

Waldemar Hoven
© United States Holocaust Memorial Museum
United States Holocaust Memorial Museum (Primary)

Arthur Dietzsch
© Yad Vashem
Yad Vashem Photo Archives

Personnel médical américain dans un service de typhus pour les survivants de Dachau
© United States Holocaust Memorial Museum
United States Holocaust Memorial Museum (Primary)

Bocaux contenant des organes humains prélevés sur des prisonniers à Buchenwald
© Public Domain
National Archives and Records Administration, College Park (Primary)

Table

Le Livre de Poche s'engage pour l'environnement en réduisant l'empreinte carbone de ses livres. Celle de cet exemplaire est de :

400 g éq. CO₂

PAPIER À BASE DE FIBRES CERTIFIÉES

Rendez-vous sur www.livredepoche-durable.fr

Composition réalisée par Nord Compo

Achevé d'imprimer en juin 2018, en France sur Presse Offset par
Maury Imprimeur – 45330 Malesherbes
N° d'imprimeur : 227651
Dépôt légal 1ʳᵉ publication : janvier 2016
Édition 11 – juillet 2018
LIBRAIRIE GÉNÉRALE FRANÇAISE – 21, rue du Montparnasse – 75298 Paris Cedex 06

14/0265/6